SãoPaulo, 450
razões para amar

editado por

Milton Mira de Assumpção Filho | Ernesto Yoshida

SãoPaulo, 450
razões para amar

m.Books

M.Books do Brasil Editora Ltda.

Av. Brig. Faria Lima, 1993 - 5º andar - Cj. 51
01452-001 - São Paulo - SP - Telefones (11) 3168-8242 / (11) 3168-9420
Fax: (11) 3079-3147 - E-mail: vendas@mbooks.com.br

© 2004 by M.Books do Brasil Ltda.
todos os direitos reservados

EDITORES
MILTON MIRA DE ASSUMPÇÃO FILHO
ERNESTO YOSHIDA

Reportagem
Tiana Chinelli
Coordenação
Ivy Farias
Karina Saito

Projeto Gráfico e Capa
Douglas Lucas

Produção Editorial
Salete Del Guerra

Fotos
Germano Lüders

Editoração e Fotolitos
ERJ Composição Editorial

Impressão e Acabamento
OESP Gráfica S.A.

Dados de Catalogação na Publicação

Assumpção Filho, Milton Mira de; Yoshida, Ernesto
São Paulo, 450 razões para amar
2003 – São Paulo – M.Books do Brasil Editora Ltda.
ISBN: 85-89384-29-2

2003
Proibida a reprodução total ou parcial.
Os infratores serão punidos na forma da lei.
Direitos exclusivos cedidos à
M.Books do Brasil Editora Ltda.

Apresentação

Por meio deste livro, a M. Books homenageia São Paulo pelos seus 450 anos de solidariedade, lazer, cultura, oportunidades, amizade e amor. A idéia é mostrar que, a despeito de seus imensos e conhecidos problemas, há muitas e boas razões para gostar da velha metrópole. Quem diz isso não somos nós, mas sim os 450 moradores convidados para falar sobre a cidade nas páginas a seguir. A eles pedimos que respondessem concisamente a três perguntas:

1) Por que gostam de São Paulo?

2) O que São Paulo tem que outras cidades não têm?

3) Qual é o lugar ou o programa imperdível que recomendam em São Paulo?

Por limitação de espaço, nosso plano inicial era selecionar somente uma frase de cada pessoa. Muitos convidados, no entanto, se entusiasmaram com a proposta do livro e nos enviaram ricas narrativas, como se dissessem que sua paixão por São Paulo não caberia em poucas palavras. Rendemo-nos à evidência e tentamos preservar alguns depoimentos no tamanho original.

Os 450 convidados que gentilmente nos cederam suas declarações de amor a São Paulo têm os mais variados perfis. Entre eles há empresários, políticos, religiosos, artistas, esportistas, educadores, escritores, jornalistas e outros formadores de opinião, bem como cidadãos comuns entrevistados nas ruas. A intenção dos editores é que o livro reflita um dos aspectos mais marcantes de São Paulo: a diversidade cultural e étnica. Não foram poucos os convidados que exaltaram essa característica da cidade. São Paulo é um coração a pulsar, aberto para receber pessoas de todo o mundo.

Uma curiosidade: um levantamento (sem qualquer pretensão científica, diga-se) revela que o Parque do Ibirapuera é o cartão-postal preferido daqueles que colaboraram neste livro, com um total de 44 citações nos depoimentos originais. Completam a lista dos 10 lugares mais lembrados: Sala São Paulo (27 citações), Pinacoteca do Estado (26), Centro (24), Theatro Municipal (17), Masp (17), Mercado Municipal (16), Praça Benedito Calixto (15), bairro da Liberdade (15) e Avenida Paulista (15). Dezenas de outros lugares e atrações foram citadas, atestando a diversidade de opções de lazer que São Paulo proporciona, diariamente.

Nossos agradecimentos especiais à jornalista Tiana Chinelli, incansável na apuração dos depoimentos, e ao fotógrafo Germano Lüders, pelas belíssimas imagens que ilustram esta obra. E, sobretudo, os editores agradecem aos 450 convidados que emprestaram suas palavras e emoções, com depoimentos ricos e apaixonantes.

Milton Mira de Assumpção Filho
Ernesto Yoshida
Editores

Sumário

#	Nome	Pág.
1	Abaetê de Azevedo	1
2	Abram Kirszenweurcel	1
3	Abram Szajman	1
4	Adalberto Panzan Jr.	1
5	Adelina Silveira	3
6	Adolpho José Melfi	3
7	Adriane Galisteu	3
8	Affonso Celso Prazeres de Oliveira	3
9	Ala Szerman	5
10	Alberto Botti	5
11	Alberto Saraiva	5
12	Alberto Silveira Rodrigues	5
13	Alcides Amaral	5
14	Aldemir Martins	7
15	Aleksandar Mandic	7
16	Alencar Burti	7
17	Alex Chafic Maluf	7
18	Alfredo Rovai Filho	9
19	Alfried Ploger	9
20	Sheik Ali Abdoune	9
21	Alvaro A. C. de Souza	9
22	Álvaro Aoas	11
23	Álvaro Lopes	11
24	Amarilys de Toledo Cesar	11
25	Amir Slama	11
26	Ana Hickmann	11
27	Ana Maria Braga	13
28	Ana Maria Onça Feola	13
29	Andre Abujamra	13
30	André Meyer	13
31	André Sturm	17
32	Antonio Abello Rovai	17
33	Antonio Carlos Caruso Ronca	17
34	Antônio Custódio da Silva	17
35	Antônio Geraldo Luiz	17
36	Antonio Penteado Mendonça	19
37	Antonio Rosa Neto	19
38	Armando Ferrentini	19
39	Armin Burmeister	19
40	Ary Rodrigues Junior	20
41	Ary Toledo	20
42	Augusta Fortunato	20
43	Ázila de Moraes Almeida	20
44	Barbara Abramo	20
45	Belarmino Iglesias Filho	21
46	Bernhard Schuster	21
47	Betty Szafir	21
48	Bob Coutinho	21
49	Bob Wolfenson	22
50	Bruna Lombardi	22
51	Bruno Fiorentini Jr.	22
52	Bya Barros	22
53	Camilo Rocha	23
54	Cândido Malta Campos Filho	23
55	Cao Hamburger	23
56	Carlos Alberto da Nóbrega	23
57	Carlos Jereissati Filho	25
58	Carlos Maranhão	25
59	Carlos Maria Redondo	25
60	Carlos Miele	25
61	Carlos Miguel Aidar	25
62	Carlos Tilkian	27
63	Casagrande	27
64	Cássio Scapin	27
65	Cecilia Dale	27
66	Céline Imbert	29
67	Celso Kamura	29
68	Chico Lang	29

69	Chieko Aoki	29
70	Chitãozinho	31
71	Chris Couto	31
72	Chu Tung	31
73	Cícero Zacarias	31
74	Claudete Chammas Daud	33
75	Cláudia Costin	33
76	Cláudia Hollander	33
77	Cláudia Liz	33
78	Claudia Raia	35
79	Cardeal Dom Cláudio Hummes	35
80	Cláudio Lembo	35
81	Cléo Brandão	35
82	Monja Coen	36
83	Cosette Alves	36
84	Cremilda Medina	36
85	Cristiana Arcangeli	36
86	Daniel Eduardo Vera	36
87	Danilo Santos de Miranda	37
88	Davi Bergamim	37
89	David Feffer	37
90	Deca Sawava Daud	37
91	Denis Mizne	39
92	Denise Fraga	39
93	Digão	39
94	Diogo Pacheco	39
95	Dorina de Gouvêa Nowill	41
96	Duda Molinos	41
97	Edemar Cid Ferreira	41
98	Eder Jofre	41
99	Edo Rocha	43
100	Edgar Corona	43
101	Edgard Scandurra	43
102	Edison Raymundi Junior	43
103	Edson Celulari	45
104	Edson Maciel	45
105	Eduardo Coelho	45
106	Eduardo Fischer	45
107	Eduardo Gudin	47
108	Eduardo Sanovicz	47
109	Eliana Penna Moreira	47
110	Eliana Tranchesi	47
111	Elias George Âmbar	47
112	Elias Pereira da Silva	49
113	Elizabeth Bruno	49
114	Elke Maravilha	49
115	Emerson Kapaz	49
116	Emidio Luisi	51
117	Eneida Bini	51
118	Ernest Egli	51
119	Esther Giobbi	51
120	Eugenio Deliberato	51
121	Eugênio Staub	54
122	Fábio Assunção	54
123	Fábio Bibancos	54
124	Fabio Colletti Barbosa	54
125	Fabio Namatame	55
126	Fabio Porchat	55
127	Fábio Vianna	55
128	Fausto Silva	55
129	Fernanda Young	57
130	Fernando Fernandez	57
131	Fernando Meirelles	57
132	Fernando Meligeni	57
133	Flávio Gikovate	58
134	Flávio Moreira	58
135	Flavio Pimenta	58
136	Flavio Prado	58
137	Florisvaldo da Rocha Lira	59
138	Francesc Petit	59
139	Francisco Alberto Madia de Souza	59
140	Francisco Ranieri Netto	59
141	Fulvio Stefanini	61
142	Gabriel Jorge Ferreira	61
143	Gabriel Mário Rodrigues	61
144	Gaudêncio Torquato	63
145	George Alonso	63
146	Geraldo Alckmin	63
147	Geraldo Nunes	63
148	Giancarlo Bolla	64
149	Gilberto Di Pierro (Giba Um)	64
150	Giovanni Bruno	64
151	Glauco	64
152	Glória Coelho	65
153	Glória Funaro	65
154	Goulart de Andrade	65

155	Graziella Moretto	65		198	José Armando Cerello	82
156	Gregório Gruber	65		199	José de Arruda	83
157	Guilherme Afif Domingos	67		200	José Augusto Marques	83
158	Guilhermina Guinle	67		201	José Dias Leite	83
159	Guiomar Terrabuio	67		202	José Eduardo Luzzi	83
160	Hans Stern	67		203	José Helio Contador Filho	85
161	Haroldo da Gama Torres	68		204	José Luiz Catão Dias	85
162	Harry Simonsen Jr.	68		205	Padre José Maria Fernandes	85
163	Hebe Camargo	68		206	José Mindlin	85
164	Hélio Magalhães	68		207	José Mojica Marins	87
165	Henrique Cambiaghi	69		208	José Paulo de Andrade	87
166	Rabino Henry I. Sobel	69		209	José Ricardo Roriz Coelho	87
167	Herbert Schmid	69		210	José Theodoro Alves de Araújo	87
168	Hideaki Iijima	69		211	José Zaragoza	89
169	Horacio Lafer Piva	71		212	Josimar Melo	89
170	Hortência	71		213	Juca Kfouri	89
171	Hugo Marques da Rosa	71		214	Judith Adler Rosenhek	89
172	Ilton Luiz Conceição	71		215	Júlio Medaglia	91
173	Inezita Barroso	71		216	Julio Okubo	91
174	Iracema Rabi Saliby	73		217	Jun Sakamoto	91
175	Iraci Kadoni	73		218	Katia Zero	91
176	Ivo Alves da Cunha	73		219	Kokei Uehara	93
177	Izaías do Bandolim	73		220	Laércio Cosentino	93
178	Jair Oliveira	73		221	Laís Bodanzky	93
179	Jair Rodrigues	75		222	Lalo Zanini	93
180	Jane Duboc	75		223	Lamartine Posella	94
181	Jayme Brasil Garfinkel	75		224	Laudo Natel	94
182	Jean Pierre Lapage	75		225	Lawrence Pih	94
183	Jô Clemente	77		226	Lázaro de Mello Brandão	94
184	Jô Soares	77		227	Lea Della Casa Mingione	95
185	João Armentano	77		228	Leda Tenório da Motta	95
186	João Batista de Lima	77		229	Leon Cakoff	95
187	João Carlos da Silva	79		230	Leonardo Chiappetta	95
188	João Daniel Tikhomiroff	79		231	Leonardo Senna	96
189	João De Simoni Soderini Ferracciù	79		232	Lima Duarte	96
190	João Heitor de Moura	79		233	Lino Villaventura	96
191	João Lellis	81		234	Lolita Rodrigues	96
192	João Marcello Bôscoli	81		235	Lucia Camargo	97
193	John Herbert	81		236	Luciana Guimarães	97
194	Jorge Augusto de Andrade	81		237	Luciano Amaral	97
195	Jorge da Cunha Lima	82		238	Lucília Diniz	97
196	José Ailton Garcia	82		239	Lucio Mario Nicolosi	99
197	José Antônio Carlos	82		240	Luís Nunes Pedro	99

241	Luisa Malzoni Strina	99
242	Luiz Calanca	101
243	Luiz Carlos Frayze David	101
244	Luiz Cláudio Began	101
245	Luiz D'Urso Filho	101
246	Luiz Fernando Azevedo Resende	103
247	Luiz Fernando Vendramini Fleury	103
248	Luiz Gomes Tenente	103
249	Luiz Tatit	103
250	Luiz Villaça	105
251	Lupércio de Moraes	105
252	Magic Paula	105
253	Mailson da Nóbrega	105
254	Malu Mader	105
255	Manoel Fabiano	107
256	Manoel Felix Cintra Neto	107
257	Manoel Francisco Pires da Costa	107
258	Mara O. de Campos Siaulys	107
259	Marcelo Mello	108
260	Marcelo Noschese	108
261	Marcelo Sommer	108
262	Marcelo Tas	108
263	Márcia Denser	109
264	Márcio Cypriano	109
265	Marco Antônio de Biaggi	111
266	Marco Antonio Ramos de Almeida	111
267	Marcos Cintra	111
268	Marcos de Souza Barros	115
269	Marcos Gouvêa	115
270	Marcos Mion	115
271	Maria Adelaide Amaral	115
272	Maria Cristina Poli	116
273	Maria Lydia	116
274	Mariana Ximenes	116
275	Mariangela Bordon	116
276	Marília de Andrade	117
277	Marina Lima	117
278	Marina Person	117
279	Marinês Rodrigues	117
280	Mario Bandeira	118
281	Mário Barbosa	118
282	Mário César de Camargo	118
283	Mário Eugênio Simões Onofre	118
284	Mario Fleck	119
285	Mário Sérgio Luz Moreira	119
286	Mary Nigri	119
287	Massimo Ferrari	119
288	Matheus Nachtergaele	121
289	Mauricio de Sousa	121
290	Maurício Ielo	121
291	Max Schrappe	121
292	Michel Todel Gorski	123
293	Pe. Mieczyslaw Smyda, SJ.	123
294	Miguel Romano	123
295	Milton Goldfarb	123
296	Milton Luís F. Pereira	125
297	Milton Neves	125
298	Milú Villela	125
299	Modesto Carone	125
300	Mônica Torres	127
301	Mônica Waldvogel	127
302	Ná Ozzetti	127
303	Nabil Bonduki	129
304	Nair Bello	129
305	Natan Kimelblat	129
306	Nei Schimada	129
307	Nelson Blecher	131
308	Nelson Matias Pereira	131
309	Nildemar Secches	131
310	Nizan Guanaes	131
311	Nuno Cobra	132
312	Ocimar Versolato	132
313	Odir Pereira	132
314	Olavo Egydio Setubal	132
315	Orlando Duarte	133
316	Oscar Quiroga	133
317	Oscar Schmidt	133
318	Osmar Elias Zogbi	133
319	Omar Silva Júnior	134
320	Oswaldo Melantonio Filho	134
321	Otávio Mesquita	134
322	Palmirinha Onofre	134
323	Pasquale Cipro Neto	135
324	Patricia de Sabrit	135
325	Patrícia Melo	135
326	Patricia Palumbo	137

#	Name	Page		#	Name	Page
327	Paulo Amorim	137		370	Ricardo Viveiros	157
328	Paulo Caruso	137		371	Richard L. T. Bilton	157
329	Paulo Cunha	137		372	Rita Cadillac	158
330	Paulo Gaudencio	139		373	Rita Lee	158
331	Paulo Giuliano	139		374	Roberto Civita	158
332	Paulo Henrique Amorim	139		375	Roberto Duailibi	158
333	Paulo Itacarambi	139		376	Roberto Gheler	159
334	Paulo Maluf	141		377	Roberto Lima	159
335	Paulo Saab	141		378	Roberto Luis Troster	159
336	Paulo Setúbal	141		379	Roberto Migotto	159
337	Paulo Vanzolini	141		380	Roberto Spedito Vieira da Silva	161
338	Pedro Basilie	143		381	Roger	161
339	Pedro Jorge Filho	143		382	Rogério Fasano	161
340	Pedro Mariano	143		383	Roland de Bonadona	161
341	Pedro Mello	143		384	Rolf-Dieter Acker	163
342	Pedro Villares Heer	145		385	Romeo Busarello	163
343	Percival Maricato	145		386	Ronaldo Fraga	163
344	Peter Källberg	145		387	Rosana Beni	163
345	Piercarlo Sanna	145		388	Rose Koraicho	166
346	Priscila Borgonovi	148		389	Ruy Martins Altenfelder Silva	166
347	Raí	148		390	Ruy Ohtake	166
348	Rainer F. Oellers	148		391	Sábato Magaldi	166
349	Rappin' Hood	148		392	Sabrina Parlatore	166
350	Raquel Rolnik	148		393	Salvador Falabella	167
351	Ratinho	149		394	Sandra Ralston	167
352	Raul Corrêa da Silva	149		395	Sandra Rietjens	167
353	Raul Cutait	149		396	Saul Faingaus Bekin	167
354	Raul Gil	149		397	Seiji Ishikawa	168
355	Regina Duarte	151		398	Sergio Amoroso	168
356	Regina Monteiro	151		399	Sergio Arno	168
357	Regina Moraes	151		400	Sergio Ayroza	168
358	Renate Keller Ignácio	151		401	Sérgio Felipe dos Santos	169
359	Renato Furtado	153		402	Sergio Kalil	169
360	Renato Loureiro	153		403	Sérgio Luz	169
361	Reynaldo Gianecchini	153		404	Sergio Monte Alegre	169
362	Ricardo Almeida	3153		405	Sergio Ribinik	169
363	Ricardo Assumpção	155		406	Serpui Marie	171
364	Ricardo Branco	155		407	Sig Bergamin	171
365	Ricardo Côrte Real	155		408	Silvia Poppovic	171
366	Ricardo Gonçalves	155		409	Sílvio Lancellotti	171
367	Ricardo Julião	157		410	Sinésio Medeiros Correia de Melo	173
368	Ricardo Montoro	157		411	Sonia Abrão	173
369	Ricardo Renzo Brentani	157		412	Soninha	173

413	Stephen Kanitz	173
414	Supla	175
415	Synésio Batista da Costa	175
416	Tadeu Masano	175
417	Tania Mortari Magalhães	175
418	Tarcísio Mello	177
419	Tata Amaral	177
420	Tatiana Belinky	177
421	Thais Losso	177
422	Thrassyvoulos Georgias Pehakis	179
423	Tobias Dryzun	179
424	Toninho	179
425	Tufi Duek	179
426	Valdemar Iódice	181
427	Valdery Albuquerque	181
428	Valentina Caran	181
429	Valéria Camarero	181
430	Vange Leonel	182
431	Vera Lucia Dias	182
432	Vera Lúcia Fiordoliva	182
433	Victor Mirshawka	182
434	Vilma Peramezza	183
435	Viviane Aparecida Fontana	183
436	Viviane Senna	183
437	Walderez de Barros	183
438	Walter Rodrigues	185
439	Wanessa Camargo	185
440	Westerley Dornellas	185
441	Willer Larry Furtado	185
442	Wilma Motta	186
443	Wilson Cabral	186
444	Wilson Simoninha	186
445	Xororó	186
446	Jacoff Sarkovas	187
447	Yara Baumgart	187
448	Yukio Nomoto	187
449	Zé Pedro	187
450	Zizi Possi	187

1

" São Paulo é a capital do melhor dos 7 pecados capitais. Alguns programas e lugares imperdíveis: um mergulho concentrado e solitário entre os livros da Livraria Cultura, o mercado de flores do Ceasa, a feira japonesa no bairro da Liberdade, o sushi entre biombos de papel do Hotel Nikkey, a feira de antiguidades do Masp e o marzipã da Kopenhagen do Shopping Iguatemi. "

Abaetê de Azevedo, publicitário, casado com Juçara, pai de três filhos paulistanos e professor da ESPM

3

" É a cidade mais ágil e cheia de boas possibilidades do Brasil. São Paulo tem os melhores teatros, cinemas e restaurantes, além dos meus amigos. Recomendo um bom filme no CineSesc e um jantar no restaurante de Giovanni Bruno. "

Abram Szajman, presidente da Federação do Comércio de São Paulo

4

" São Paulo tem movimento, tem ação, tem vida! A cidade é capaz de reservar-nos surpresas agradáveis, como o nascer do sol num cantinho de mata nativa preservada pela persistência de muitos que acreditam na natureza como origem do homem. O amanhecer no Parque Burle Marx é imperdível! "

Adalberto Panzan Jr., empresário

2

" São Paulo é minha vida, minhas melhores recordações, meus momentos mais felizes. A única coisa ruim é ver a cidade se deteriorar desse jeito. O Centro é como uma bela mulher envelhecendo sem dignidade. "

Abram Kirszenweurcel, dono da loja de chapéus El Sombrero, que existe há 68 anos na Rua do Seminário

Edifício Copan

5

" É uma cidade onde de dia se trabalha e à noite parece um sonho, cheia de restaurantes, boates e barzinhos. "

Adelina Silveira, empresária

7

" São Paulo é o céu e o inferno. O céu porque é a cidade onde nasci, que aprendi a amar e que não trocaria por nenhuma outra. Aqui não falta nada, a qualquer hora você faz o que quiser. Mas também é o inferno porque ter tudo traz muitos transtornos, como trânsito, violência e poluição. Para vivenciar esses dois lados, basta passear pelo bairro de Higienópolis e dar uma esticada até o caos da Marginal do Tietê no horário de pico. "

Adriane Galisteu, apresentadora

6

" São Paulo é uma cidade cheia de vida, onde a intensa rotina de trabalho se mistura harmonicamente com atividades culturais, artísticas e de lazer. Considero imperdível assistir a um espetáculo musical na Sala São Paulo e depois saborear as delícias que encontramos em dezenas de excelentes restaurantes que fazem da cidade uma das principais capitais da gastronomia mundial. "

Adolpho José Melfi, reitor da Universidade de São Paulo (USP)

8

" Adoro São Paulo. Incorporei-me a ela, ou ela se incorporou a mim. Sou carioca e cheguei do Rio aos 17 anos, em 1956. Hoje luto para que o Edifício Copan seja um símbolo da cidade. "

Affonso Celso Prazeres de Oliveira, síndico e administrador do Edifício Copan, onde mora há 40 anos

Igreja de São Bento

9

"Recomendo e freqüento muito o Parque Villa-Lobos, que dá abrigo às pessoas e é um ótimo local para praticar esportes. Ele congrega pessoas de diferentes níveis sociais, de empresário a mendigos."

Ala Szerman, empresária de saúde e beleza

10

"Como paulista, venho acompanhando o desenvolvimento de São Paulo nos últimos 50 anos. Nesse período ela passou de uma cidade modorrenta para um dos maiores centros urbanos do mundo, igual a Paris ou Londres. Isso me enche de orgulho e me deixa com o sentimento de ser parte integrante de tudo."

Alberto Botti, arquiteto

11

"São Paulo deu-me a oportunidade de vencer na vida. Permitiu-me que, saindo do nada, conquistasse meus sonhos. São Paulo tem sempre um bom programa, um bom show ou uma boa peça de teatro. E os restaurantes? São os melhores do mundo!"

Alberto Saraiva, fundador e presidente da Rede Habib's

12

"São Paulo representa trabalho, lazer e a dignidade de minha família, pois foi aqui que construí minha vida. A cidade não diferencia quem chega. Recebe qualquer um sem preconceitos."

Alberto Silveira Rodrigues, cel., comandante-geral da Polícia Militar do Estado de São Paulo

13

"Aqui temos o Pinheiros. Além de ser o maior clube poliesportivo da América Latina, é um grande jardim, florido e arborizado. São Paulo tem o bairro do Itaim Bibi, onde tudo está ao alcance e é um local agradável para morar. Um programa imperdível é comer pastel e tomar chope na Choperia do Miguel, em Moema."

Alcides Amaral, ex-presidente do Citibank S/A

Viaduto Santa Efigênia

14

❝ Gosto de São Paulo pela sua seriedade e pela fidelidade dos amigos. E também pela 'hora do rancho'. Adoro comer em São Paulo, em especial na Vila Madalena. É uma cidade com muito lazer para todos. Sempre vou ao mercado de flores do Largo do Arouche. E, como adoro futebol, recomendo uma visita ao Estádio do Pacaembu. ❞

Aldemir Martins, artista plástico

15

❝ É a cidade da gastronomia, da cultura, dos negócios e dos eventos. São Paulo é a Austrália em uma cidade só! Um programa que recomendo é comer a feijoada do Rubaiyat. ❞

Aleksandar Mandic, presidente do provedor de internet Mandic

16

❝ É uma cidade fascinante. Quanto mais você a conhece, mais lugares tem para conhecer. Um dos passeios mais gostosos é pelas bancas do Mercado Municipal. Ali se reúnem todos os povos, todos os cheiros e gostos, passado, presente e futuro. ❞

Alencar Burti, presidente do Conselho Deliberativo do Sebrae-SP (Serviço de Apoio às Micro e Pequenas Empresas de São Paulo)

17

❝ Quando viajo, sempre vejo algum bairro ou lugar que me faz pensar em São Paulo. Os museus são de muito bom nível e os restaurantes nos fazem sentir o sabor da comida de vários países cujos imigrantes que aqui vieram são, em muitos casos, mais numerosos que a população de seus países de origem. ❞

Alex Chafic Maluf, presidente voluntário da AACD (Associação de Assistência à Criança Deficiente)

Pátio do Colégio

18

❝ De todas as cidades do mundo que conheço, São Paulo é a que oferece maior variedade e complexidade de culturas, lugares, lazer, restaurantes e coisas para ver e fazer. Gosto e recomendo um passeio pelo Centro, apreciando a beleza arquitetônica dos diversos prédios antigos, as portas altas e largas, as janelas amplas e as fachadas cheias de detalhes. ❞

Alfredo Rovai Filho, engenheiro e advogado

19

❝ Gosto de São Paulo porque sinto que fomos feitos um para o outro. Vivemos no mesmo ritmo, o que me faz paulistano a cada segundo. Recomendo a Avenida Paulista, especialmente ao anoitecer. Percorrê-la de um extremo a outro é praticar um exercício de orgulho, de culto à beleza e certeza no futuro. É o retrato de São Paulo. ❞

Alfried Ploger, presidente da Abrasca (Associação Brasileira das Companhias Abertas)

20

❝ São Paulo é tão importante para o Brasil e para os brasileiros como o coração é importante para o corpo do ser humano. Em São Paulo encontram-se as mais diversas crenças, ideologias, raças, línguas, cores, culturas, instituições e nacionalidades. É uma das poucas cidades do mundo onde todos vivem em harmonia, paz e respeito, sem preconceito e racismo. ❞

Sheik Ali Abdoune, presidente da Assembléia Mundial da Juventude Islâmica da América Latina e representante da Comunidade Muçulmana no Brasil

21

❝ São Paulo oferece uma multiplicidade de opções para tudo o que você quiser: trabalho, cultura, educação, entretenimento, gastronomia, esportes, clima e... gente! Com exceção de Nova York, não conheço outra cidade do mundo que ofereça essa diversidade democrática de opções para você levar a vida como quiser. ❞

Alvaro A. C. de Souza, presidente da Câmara Americana de Comércio de São Paulo

Palácio da Justiça

22

" *São Paulo pulsa, São Paulo é vida, é um vício que nos leva ao delírio de sempre dormir menos que... 8 horas por dia??? ou 8 horas por noite??? ou 8 horas a cada 24 horas??? Isso é São Paulo!!! Para que dormir???* "

Álvaro Aoas, sócio-proprietário do Bar Brahma

23

" *É uma cidade progressista, que muda a olhos vistos. Pena que haja também tanta pobreza.* "

Álvaro Lopes, diretor da Casa Santa Luzia

24

" *Gosto de São Paulo por todas as possibilidades que oferece: trabalho, cultura, lazer, pessoas e até a própria impessoalidade, que às vezes nos esconde.* "

Amarilys de Toledo Cesar, sócia-proprietária das farmácias HN Cristiano

25

" *São Paulo traduz o Brasil. Aqui encontramos pessoas de todos os lugares, e essa mistura é a cara do país. Um local de que gosto e freqüento muito é a Praça Vilaboim, em Higienópolis, por causa de seus bares, restaurantes, livrarias e bancas de jornal. É um cantinho particular da cidade.* "

Amir Slama, estilista da Rosa Chá

26

" *Foi a cidade onde obtive minhas primeiras vitórias na carreira de modelo, onde conheci meu marido e que escolhi para meu refúgio. São Paulo tem as boates, os shopping centers, meus poucos amigos verdadeiros, os restaurantes, a hospitalidade que sempre recebo das pessoas. Enfim, São Paulo é tudo. Não troco este inferno por nada.* "

Ana Hickmann, top model internacional

Avenida Paulista

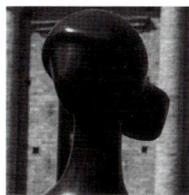

27

" Fui abraçada por essa metrópole há 30 anos e desde então é a minha casa, meu porto seguro. São Paulo é uma cidade que recebe a todos, sem preconceito, de braços abertos e coração quente, sem perguntar de onde você vem ou quando vai embora. "

Ana Maria Braga, jornalista e apresentadora de TV

28

" São tantos os nossos lugares lindos! Se buscamos arte, vamos ao Masp, à Pinacoteca! Se buscamos ciência, vamos à USP, ao Butantan! Se buscamos verde, vamos ao Jardim Botânico! Se buscamos abundância, vamos ao Ceasa! Se buscamos alegria, vamos ao Pacaembu em dia de jogo! Se buscamos grandiosidade, vamos ao Pico do Jaraguá em dia de sol! Se buscamos sofisticação, vamos ao Theatro Municipal! Se buscamos paz, vamos ao Mosteiro de São Bento! "

Ana Maria Onça Feola, médica homeopata

29

" São Paulo tem sushi. Bem, as outras cidades também têm, mas o de São Paulo é, sem dúvida, o melhor. Recomendo o Kayomix, restaurante japonês na Rua da Consolação que abre até às 4h da manhã. "

Andre Abujamra, músico e ator

30

" Gosto de dois restaurantes em especial: o indiano Tandoor e o marroquino Agadir. Além de ter ótima comida, eles são totalmente decorados e os atendentes vestem trajes típicos. Parece que estamos realmente na Índia e no Marrocos. "

André Meyer, piercer, proprietário da Body Piercing Clinic, na Galeria Ouro Fino

Mercado Municipal

Sala São Paulo

Parque do Ibirapuera

Feira da Liberdade

Feira da Praça Benedito Calixto

31

"Foi onde cresci e descobri meu amor pelo cinema. Hoje São Paulo tem uma programação de cinema com o que de melhor é feito no mundo, mais variada que a de muitas capitais européias."

André Sturm, cineasta e diretor da Pandora Filmes

32

"São Paulo é um monstro assustador que recebe e recolhe quem chega. É uma cidade de forasteiros que encontram espaço para trabalhar, estudar e fazer a vida. Como eu, que vim da Colômbia."

Antonio Abello Rovai, professor e coordenador de atividades extracurriculares do Colégio Miguel de Cervantes

33

"Sou apaixonado por São Paulo. É uma cidade onde a diversidade está presente. Há uma energia permanente no ar que estimula a criatividade e o desenvolvimento do ser humano. É uma cidade de desafios que exigem soluções complexas, estimulando seus habitantes a enfrentá-los cotidianamente. É por isso que gosto de São Paulo."

Antonio Carlos Caruso Ronca, reitor da PUC-SP (Pontifícia Universidade Católica de São Paulo)

34

"São Paulo é uma cidade alegre e divertida onde moram pessoas tristes. Tirando a parte ruim, é fácil viver aqui."

Antônio Custódio da Silva, ambulante, vende cachorro-quente na USP há 22 anos

35

"Trato muito bem a cidade, principalmente o Pacaembu, que é minha segunda casa. Tenho muito carinho por sua grama e pelas plantas."

Antônio Geraldo Luiz, cortador de grama do Estádio Pacaembu há 34 anos

Esquina das Ruas Consolação e Maria Antônia

36

" *São Paulo é uma cidade fascinante e única no mundo. Aqui convive o mais moderno com o mais antigo: a igrejinha da Penha, uma casa dos Bandeirantes de mais de 300 anos, lugares anônimos no Centro, a Berrini e a Marginal do Pinheiros, a Avenida Paulista e o Centro Histórico, os Jardins e a Zona Leste, o Morumbi e a favela. E são justamente esses contrastes que dão vida à cidade.* "

Antonio Penteado Mendonça, advogado, jornalista e historiador

37

" *Considero-me um privilegiado. Moro às margens da represa de Guarapiranga. Não é muito distante do Centro e mostra que é possível conjugar lazer com trabalho morando na cidade. Recomendo, nas manhãs de domingo, um passeio de barco na represa, onde é possível observar a rica natureza. Hoje vivem no lago várias famílias de patos, garças, gaviões e diversos pássaros exóticos.* "

Antonio Rosa Neto, publicitário e presidente da Dainet Multimídia e Comunicações

38

" *Há coisas simples que dão água na boca só de pensar: o caju amigo do Pandoro, com seus inigualáveis pastéis, e o almoço de domingo no Ca'd'Oro, que, mesmo decadente, mantém o sabor e a elegância. Imperdível mesmo é ir a uma festa à noite no Jockey Club, na Cidade Jardim, onde se pode apreciar a melhor vista de São Paulo.* "

Armando Ferrentini, presidente da Editora Referência

39

" *O mundo todo está representado em São Paulo, seja através das raças, das religiões ou dos restaurantes típicos. A harmonia com que as diferentes nacionalidades convivem em São Paulo é muito interessante. O bairro da Liberdade é um ótimo exemplo: tudo faz parecer que o Japão fica dentro de São Paulo. O mesmo acontece com os bairros do Bom Retiro, Brooklin e Mooca. As feiras livres também são uma particularidade. São muito práticas e oferecem alimentos fresquinhos. Sem falar nos pastéis!* "

Armin Burmeister, presidente da Bayer S.A. e porta-voz do Grupo no Brasil

40

❝ Apesar de todos os problemas de uma grande metrópole, São Paulo oferece imensa gama de opções em todos os campos: cultural, profissional, esportivo, social. Imperdível é experimentar a sua completa coleção de bons restaurantes, onde excelentes chefs preparam iguarias de todo o mundo. ❞

Ary Rodrigues Junior, presidente da Akzo Nobel

41

❝ O paulistano é privilegiado porque é o único povo que vê o ar que respira e acorda com o barulho dos passarinhos tossindo. A cidade é minha inspiração, a matéria-prima para eu desenvolver meu trabalho. Posso ser volúvel com qualquer coisa, menos com São Paulo. Nunca vou me divorciar dela. ❞

Ary Toledo, humorista

42

❝ São Paulo representa tudo em minha vida. Vim do interior com 16 anos, venci nesta cidade e obtive seu reconhecimento, recebendo o título de Cidadã Paulistana. ❞

Augusta Fortunato (mas todos me conhecem como **Tia Augusta**), dona da Tia Augusta Turismo

43

❝ Fui criada nesta selva de pedra e a defendo com unhas e dentes. Ninguém venha falar mal dela perto de mim. Sou viciada em São Paulo. Amo a minha terra. ❞

Ázila de Moraes Almeida, expositora de roupas na Feira do Bixiga há 20 anos

44

❝ Sampa é uma paixão tão difícil que foi preciso o olhar de Caetano Veloso para melhor descrevê-la. Existe uma São Paulo para além dos shopping centers e da Avenida Paulista. Sampa tem, por exemplo, ótima comida, uma das heranças da imigração do século 19. Essa caleidoscópica mistura de caras, sabores e hábitos compõe um ser urbano ligado em eficiência e aberto a compreender outras visões de mundo, apesar de um pouco arisco e discreto. ❞

Barbara Abramo, paulistana, escritora e astróloga, horoscopista da Folha de São Paulo, da Folha Online e do BOL

45

"O que recomendo em São Paulo? Além de um bom bife no Rubaiyat e comer no imperdível A Figueira, sugiro visitar a Fundação Maria Luisa e Oscar Americano e tomar um chá; ir à feira orgânica da Água Branca aos sábados pela manhã; correr no Parque do Ibirapuera; caminhar na Praça Vinícius de Moraes, perto do Palácio dos Bandeirantes, que depois de uma reforma se tornou um ponto de encontro de gente bonita; parar na banca da Cidade Jardim de madrugada para tomar uma água de coco e comprar revistas."

Belarmino Iglesias Filho, sócio dos restaurantes Baby Beef Rubaiyat e A Figueira Rubaiyat

46

"Já vivi em grandes cidades da Europa e dos Estados Unidos e nunca encontrei uma integração tão grande e tão pacífica de diferentes culturas como em São Paulo. A cidade possui uma habilidade impressionante para absorver novas culturas e conviver pacificamente com todas elas. Em geral, os moradores de grandes metrópoles são fechados, reservados. Em São Paulo, as pessoas são abertas, gentis e flexíveis."

Bernhard Schuster, presidente da Bosch Eletrodomésticos

47

"Em São Paulo a vida é organizada e as pessoas têm um senso de responsabilidade mais acurado que no resto do país. A cidade não chega a ser uma Nova York, mas é eletrizante e agitada. A vida gastronômica é muito boa, em especial os restaurantes Gero, Antiquarius e La Tambouille."

Betty Szafir, empresária

48

"Recomendo aproveitar os feriados prolongados e passar pelo Ceasa, pelo Mercado Central, pelo Centro e, depois, comer no Esplanada Grill.
É nos feriados que aproveito para ir a espetáculos e cinemas, pois tudo está mais calmo. É quando aproveito para namorar mais esta cidade que amo."

Bob Coutinho, economista e empresário

49

" *Em São Paulo é preciso encontrar as frestas, os pequenos vãos, tanto nos espaços como nas relações. Só um lugar insólito como este promove esses encontros.* "

Bob Wolfenson, fotógrafo

50

" *São Paulo é energética, conectada. Por ser uma cidade dura, as pessoas precisam de um escape e criam coisas interessantes. Existe uma força, uma intensidade em Sampa que torna a cidade emocionante. SP é uma inten-cidade. E a mistura de raças deu um resultado maravilhoso. SP é uma diver-cidade.* "

Bruna Lombardi, atriz e escritora

51

" *Para sentir o que é São Paulo, recomendo que todos façam uma caminhada pela Avenida Paulista entre segunda e sexta-feira, com paradas em frente ao prédio da Rede Gazeta, no Masp, nos locais onde outrora se localizavam as grandes mansões, como o 'Estacionamento Matarazzo', com direito a uma fotografia com a grande avenida ao fundo. O espírito trabalhador e empreendedor da cidade ganha vida e formas ao longo da caminhada, e conquista os nativos, os migrantes e os imigrantes que fazem o seu dia-a-dia.* "

Bruno Fiorentini Jr., presidente do Yahoo! Brasil

52

" *Gosto de São Paulo porque me considero uma pessoa informada e antenada, e ela supre todos os meus anseios. É uma cidade completa em todos os aspectos. Na área de lazer, São Paulo tem tudo do bom e do melhor, seja em gastronomia, seja em cultura ou em diversão. Pelo que oferece hoje para desfrutar, não há necessidade de viajarmos para o exterior.* "

Bya Barros, arquiteta e decoradora

53

"Nasci em Londres e vim morar na cidade com 1 ano. Sou paulistano de coração. São Paulo tem ritmo próprio. Aqui você fica conectado a tudo. Na minha profissão, isso é essencial. Mesmo com a facilidade da internet, é muito melhor estar no meio de onde as coisas acontecem. A vida noturna paulistana é uma das melhores do mundo. Gosto muito do Lov.e. A qualidade do som é excelente, e lá você escuta o melhor da música eletrônica."

Camilo Rocha, DJ e jornalista

54

"São Paulo tem uma enorme diversidade cultural ligada a um enorme leque de etnias que nela habitam e que é ampliado de tempos em tempos com a chegada de novas. Ao mesmo tempo, o paulistano absorve aos poucos, antropofagicamente, as suas respectivas culturas, predominando sempre e desde há muito tempo um forte espírito empreendedor, que nasceu, ao que se imagina, com os bandeirantes. Esse é o espírito da paulistanidade que vai sendo praticado por todos os seus habitantes, tanto os que chegam para cá migrando como os que aqui nasceram. Porque todos dela se imbuem e passam logo, se migrantes, a se considerar paulistanos plenos."

Cândido Malta Campos Filho, professor de Planejamentos Urbanos e Urbanismo da FAU-USP

55

"Em São Paulo há o caos total. A falta de critérios e planejamento na gestão da cidade. A destruição de qualquer memória possível. Uma epidemia de câncer urbano que faz brotar, incontrolavelmente, prédios horrorosos, onde famílias e escritórios se aglomeram. Mas gosto de São Paulo porque é uma cidade multicultural e multirracial."

Cao Hamburger, diretor de cinema e TV

56

"A vida noturna e o comércio de São Paulo não devem nada aos de outras cidades do mundo. Para mim, um lugar imperdível é um passeio pela Avenida Paulista. Há coisas na cidade que são incríveis, como a Santa Efigênia, uma rua que só tem produtos eletroeletrônicos, e a Avenida São Luís, abarrotada de companhias aéreas e agências de turismo."

Carlos Alberto da Nóbrega, apresentador de televisão

Parque do Ibirapuera

57

" Gosto de São Paulo pela sua dinâmica e por estar na vanguarda. O que há de novo no Brasil acontece aqui. São Paulo tem de tudo para todas as tribos, de dia ou de noite. "

Carlos Jereissati Filho, diretor-superintendente da Iguatemi Empresa de Shopping Centers

58

" Apesar de todos os seus problemas, que não são muito diferentes dos enfrentados por outras metrópoles brasileiras, gosto de São Paulo — cidade que escolhi para viver — porque sua diversidade cultural transformou-a numa síntese do que o país tem de melhor. E de pior, infelizmente. "

Carlos Maranhão, jornalista, editor da revista *Veja SP*

59

" A cidade tem tudo o que qualquer um pode desejar: eventos, lazer, shoppings, culinária internacional. Recomendo um jantar no Terraço Itália, escolhendo uma mesa que propicie uma visão de São Paulo. É muito lindo ver a cidade de lá. "

Carlos Maria Redondo, diretor-superintendente da Pirelli Pneus

60

" São Paulo é um caldeirão cultural que atrai os melhores profissionais do Brasil e do exterior de todas as áreas, como arquitetura, música e arte. Aqui existe uma energia produtiva diferente para o trabalho que dificilmente você encontra em outras cidades.
Gosto do Parque Ibirapuera, do paisagismo de Burle Marx, da arquitetura de Niemeyer, do Museu de Arte Moderna de Lina Bo Bardi. Quando estou em São Paulo, freqüento suas exposições e almoço no restaurante em frente ao Jardim das Esculturas. "

Carlos Miele, designer e criador multimídia

61

" São Paulo é um retrato do dinamismo, da flexibilidade e da criatividade de um povo empenhado em construir uma cidade melhor e mais justa. "

Carlos Miguel Aidar, presidente da OAB-SP

MAM

62

" São Paulo representa minha vida, minhas raízes, meu passado e, certamente, meu futuro. São Paulo representa o sonho, a desilusão, a esperança, a oportunidade, o medo, enfim, todos os sentimentos ocorrendo simultaneamente, fazendo com que esta cidade acima de tudo nos dê uma sensação de vida. "

Carlos Tilkian, presidente da Estrela

63

" Adoro São Paulo. Morei oito anos fora, e a data que eu mais lamentava quando estava no exterior era 25 de janeiro, o aniversário da cidade. Aqui estão os meus amigos, me sinto em casa. Apesar da violência, me sinto seguro e encontro tudo o que eu quero, em qualquer horário. Eu particularmente adoro happy hour, sentar num barzinho e conversar com os amigos. Vou muito ao Bolinha, na Cidade Jardim, e à padaria Real, na Dr. Arnaldo. "

Casagrande, comentarista esportivo

64

" Sou paulistano roxo. Ou melhor, paulistano xiita. Não a troco por nenhuma outra. O magnífico é que em São Paulo você encontra uma mistura de culturas, raças e classes sociais de uma maneira que nunca vi em outra metrópole. Aqui árabe conversa com judeu, que conversa com turco, que conversa com baiano, e seus filhos saem todos juntos para dançar. É uma 'salada de gente' que não se segrega em guetos, como em Nova York. Até o cara que mora nos Jardins freqüenta o mesmo local que o da Zona Leste na hora de comer um pastel na feira. "

Cássio Scapin, ator

65

" São Paulo é uma cidade que exige qualidade, excelente serviço, sofisticação e onde tudo o que é bem-feito se transforma em sucesso. "

Cecilia Dale, empresária

Theatro Municipal

66

" São Paulo tem abundância cultural, educacional, profissional, gastronômica e econômica. Há gente do mundo inteiro aqui. Impossível não encontrarmos os parceiros certos para realizarmos os muitos sonhos de nossas vidas.
Recomendo a programação do Theatro Municipal. Seus corais, sua orquestra e os músicos convidados realizam espetáculos de alto nível artístico, também com artistas brasileiros. Isso me causa orgulho e alimenta meu patriotismo! "

Céline Imbert, cantora lírica

67

" Gosto de São Paulo pela oportunidade de ser reconhecido pelo meu trabalho. É uma cidade onde as pessoas são o grande diferencial. Muita gente vem de fora com o mesmo objetivo, que é o trabalho. E quem é bom profissional consegue vencer. "

Celso Kamura, beauty stylist

68

" Tenho um orgulho muito grande de ser de São Paulo. Aqui vivi minhas primeiras aventuras, meus três casamentos e vi meus filhos nascerem. Foi onde aprendi a ser homem. Sou corintiano, mas o São Paulo Futebol Clube, por levar o nome da minha cidade amada e pelos títulos que conquistou, é o meu segundo time. "

Chico Lang, jornalista e comentarista esportivo

69

" Gosto de São Paulo pelas facilidades e pela variedade de opções de uma grande metrópole. Num domingo, pode-se assistir a uma missa com canto gregoriano na Igreja de São Bento, passear e fazer compras na feirinha e nas lojas do bairro da Liberdade, como em Little Tokyo de Los Angeles, e terminar a noite na pizzaria Cristal. É um passeio cultural e gastronômico imperdível. "

Chieko Aoki, presidente da Blue Tree Hotels

Rua Galvão Bueno, Liberdade

70

" *Por que gosto de São Paulo? Porque tem tudo o que você quiser e é uma das cidades mais confortáveis e completas do mundo. São Paulo não pára nunca. Em outras cidades, tudo acaba muito cedo, principalmente fora do Brasil. São Paulo não dorme e com isso temos a opção de fazer qualquer coisa, a qualquer hora do dia ou da noite.* "

Chitãozinho, cantor

71

" *Recomendo tomar um café da manhã na Deli Paris, na Vila Madalena. Ler o jornal e procurar a programação do Sesc, que sempre tem alguma coisa boa, como um show de música, um filme ou uma peça de teatro. Passear pela Liberdade, almoçar por ali, dar um rolê na feirinha no fim de semana. Se gostar de movimento, aos sábados, na Praça Benedito Calixto, tem de tudo: antiguidades, raridades em vinil, cerveja, comida baiana, árabe, doces... Passear pelo Centro antigo da cidade também é uma boa. Ir às galerias para comprar CDs, comer no Pé Sujo e, só para variar, assistir a algum concerto no Theatro Municipal.* "

Chris Couto, atriz e apresentadora

72

" *Sou paulistano desde os anos 50. Vi a cidade crescer e se transformar na megalópole que é hoje. São Paulo possui um pouco de todas as nacionalidades. Nela é natural ser estrangeiro ou descendente de estrangeiros. O povo é cordial e aceita bem essa mistura multirracial.* "

Chu Tung, presidente da EDS Brasil e vice-presidente para América Latina da EDS

73

" *Considero São Paulo como uma escola — ela nos ensina, nos dá gratificações, nos pune. Para mim não existe escola melhor do que esta, pois foi aqui onde aprendi tudo. E, na hora do intervalo, o melhor programa é ir passear no shopping.* "

Cícero Zacarias, vendedor ambulante na Rua Doze de Outubro há 17 anos

Feira da Liberdade

74

" É a cidade onde nasci, cresci, me casei, tive meus filhos e onde mora toda a minha família. Ao contrário de outras cidades, São Paulo tem tudo, do bom ao ruim. "

Claudete Chammas Daud, proprietária e sócia da butique Claudeteedeca

75

" São Paulo é uma cidade instigante: nunca se acaba de explorar sua estranha geografia, em que se percebe como o homem transformou a Natureza e construiu o mais belo e interessante caos. A cidade tem vida. Uma vida que pulsa e promete surpresas. Um patrimônio histórico, cantinhos bucólicos, áreas quase rurais que se combinam com a agressividade do trânsito de gentes e carros, prédios feios e pichações. E tem, sobretudo, uma lógica fantástica que a razão não captura. "

Cláudia Costin, secretária de Cultura do Estado de São Paulo

76

" São Paulo representa o verdadeiro espírito do povo brasileiro: amigo, solidário, progressista e inovador. Isso porque o ascendente do Brasil é Aquário, e São Paulo é Aquário com ascendente em Aquário. A identidade é total. "

Cláudia Hollander, jornalista e astróloga

77

" São Paulo é ação, trabalho, cultura e agilidade. Aqui, time is money. As decisões não demoram a ser tomadas. É ou não é. "

Cláudia Liz, atriz

Avenida São João

Edifício do Banespa

78

“ *Quando eu era pequena, São Paulo parecia enorme, inatingível, e eu pensava que jamais teria aquele tamanho. Anos se passaram e graças a Deus me tornei uma mulher alta para chegar um pouco mais perto desta grande metrópole.* ”

Claudia Raia, atriz e bailarina

79

“ *Gosto muito de São Paulo. Acho a cidade fascinante. As razões são muitas: seu povo é trabalhador, dinâmico, politizado, empreendedor, acolhedor. São Paulo acolheu e continua acolhendo migrantes de todo o Brasil e de muitos países, sem fazer distinção, e procura oferecer-lhes novas oportunidades de vida, ainda que isso nem sempre aconteça por causa das dificuldades socioeconômicas que o Brasil e até mesmo o mundo atravessam, sobretudo pelo desemprego.* ”

Cardeal Dom Cláudio Hummes, arcebispo metropolitano de São Paulo

80

“ *São Paulo é uma cidade aberta, que permite que todos tentem conquistar seu espaço. Aqui não existem fronteiras. Recomendo uma visita ao Pátio do Colégio, o berço da cidade. São raras as cidades no mundo que têm um local de nascimento tão definido como São Paulo. Só por esse simbolismo já vale o passeio.* ”

Cláudio Lembo, vice-governador do Estado de São Paulo

81

“ *É uma cidade cosmopolita que oferece grandes oportunidades de realização pessoal e profissional. A cidade tem ótimos restaurantes, eventos, peças de teatro... Um programa imperdível é caminhar no Parque do Ibirapuera em um horário tranqüilo e em dia de sol.* ”

Cléo Brandão, jornalista

82

" *Adoro São Paulo! Às vezes sinto-me sufocada e vou para o interior, mas como é gostoso voltar! São Paulo é de contrastes: há casas como no interior, com uma rosinha no jardim da frente, e, ao lado, um prédio enorme como em Nova York. É uma cidade de artes e espetáculos, que reúne milhares de pessoas numa passeata gay! O Parque da Água Branca, onde fazemos a caminhada zen, é muito vivo. O da Aclimação tem um eucaliptal que é uma delícia! Já o Trianon tem um programa maravilhoso, que é o Café Filosófico. Precisamos aproveitar as áreas verdes para respirar e olhar o céu. Também gosto do clima de São Paulo: num único dia, temos as quatro estações do ano.* "

Monja Coen, fundadora da Comunidade Zen Budista

83

" *É a cidade querida onde nasci. De um lado, tem rica vida cultural, bons restaurantes, livrarias e lojas de grifes internacionais. De outro, falta verde e há excesso de ruídos, favelas, pobreza... É o retrato do Brasil.* "

Cosette Alves, presidente da Sociedade Amigos da Cinemateca

84

" *Tenho uma paixão toda especial por São Paulo. A facilidade de se movimentar é imensa, e a qualidade humana é apaixonante, insubstituível. Sugiro conhecer o Centro Histórico e ir ao topo do Edifício do Banespa.* "

Cremilda Medina, professora da ECA-USP e organizadora da série *São Paulo de Perfil*

85

" *É uma cidade cosmopolita e com uma diversidade cultural muito grande. São Paulo tem vida 24 horas.* "

Cristiana Arcangeli, presidente da ph-)arcangeli

86

" *O que São Paulo tem que outras cidades não têm? Um grande time chamado Corinthians Paulista.* "

Daniel Eduardo Vera, diretor da Botica ao Veado D'Ouro, a farmácia mais antiga do Brasil

87

"São Paulo é o coração que acolhe e o braço forte que desafia. É um mosaico montado com pedaços de todas as outras cidades do Brasil e do mundo."

Danilo Santos de Miranda, sociólogo e diretor regional do SESC-SP

88

"São Paulo movimenta a economia do Brasil. É uma cidade capitalista e de muitas oportunidades de negócios, em todos os ramos. Apesar do atual cenário socioeconômico, a capital oferece uma ótima infra-estrutura, além da oportunidade de conhecer diferentes culturas e várias opções de lazer."

Davi Bergamim, diretor geral do Shopping SP Market

89

"São Paulo oferece coisas do mundo todo para qualquer tipo de bolso.
Um lugar que recomendo é a Casa de Cultura de Israel, espaço que busca transmitir a cultura judaica e seus valores para brasileiros, paulistas e paulistanos. É um espaço único, com uma arquitetura moderna (na forma do livro sagrado, a Tora) e que reúne excelentes mostras e exposições."

David Feffer, presidente da Suzano Holding

90

"Nasci aqui e amo a minha cidade, onde tenho minha família e tudo!
Um programa que recomendo são os concertos na Sala São Paulo."

Deca Sawava Daud, proprietária e sócia da butique Claudeteedeca

Feira da Praça Benedito Calixto

91

" São Paulo é um símbolo da diversidade e convivência pacífica entre milhões de pessoas de diferentes etnias, raças e credos. Um exemplo vivo de que muito se pode aprender conhecendo diferentes culturas e formações. A cidade tem trânsito, poluição, violência... e milhões de pessoas que não trocariam São Paulo por nenhum outro canto do mundo. "

Denis Mizne, diretor do Instituto Sou da Paz

92

" Sou do Rio, mas moro em São Paulo há dez anos. Cheguei e fiquei. Logo no início, adorava passear de bicicleta pela Paulista, que é muito mais do que uma avenida. É o retrato da cidade, o nosso calçadão de Copacabana. O que mais me fascina é que aqui você tem independência para tocar seus projetos. Há tantos atores desconhecidos do grande público que sobrevivem com seu trabalho e pagam suas contas sem nunca aparecer na televisão. "

Denise Fraga, atriz

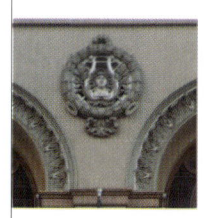

93

" São Paulo tem tudo o que o dinheiro pode comprar. É o melhor lugar para trabalhar e conseguir patrocínio no Brasil.
E que lugar bom para comer! São tantas as opções! Entre os meus preferidos está o sanduíche Haddock Lobo, da padaria Dengosa. É uma delícia! "

Digão, vocalista dos Raimundos

94

" São Paulo representa absolutamente tudo para mim. Nasci aqui, tudo o que tenho conquistei aqui e acho que viajar é ótimo sempre que se possa retornar.
Aqui estão a minha família e os meus amigos. É um lugar onde, para mim, todos os problemas podem ser resolvidos sem estresse. "

Diogo Pacheco, maestro

Viaduto do Chá

95

" Gosto de São Paulo porque São Paulo é história. Ninho de ideais que delimitaram o imenso território brasileiro, na busca de ouro e pedras preciosas, os bandeirantes criaram o berço da brasilidade e disseminaram a cultura e a civilização. São Paulo é uma cidade-país. Dentro de seus muros estão preservados os tesouros da educação e do civismo preconizados por Anchieta e Nóbrega. "

Dorina de Gouvêa Nowill, fundadora, presidente emérita e vitalícia da Fundação Dorina Nowill para Cegos

96

" São Paulo tem um pouquinho dos sabores, perfumes e culturas de todos os lugares do mundo. "

Duda Molinos, maquiador

97

" Gosto de São Paulo por ser uma cidade vibrante, cheia de emoções, com forte apelo cultural e um desenvolvido centro financeiro. É a cidade do mundo que está gerando uma nova etnia pela miscigenação de seus habitantes vindos dos confins do Brasil e do mundo. "

Edemar Cid Ferreira, presidente do Banco Santos

98

" Adoro passear pela região da Avenida Paulista, onde moro. O Parque Trianon é uma área pequena, mas especial. Lá você consegue sentir o cheiro do mato em pleno coração da cidade. Outro lugar que me atrai é o Parque Peruche, bairro onde vivi minha infância. Lá havia tudo o que uma criança deseja: chácara de frutas, biquinhas para beber água, campo de futebol... Hoje não é mais igual, mas foi uma época maravilhosa. "

Eder Jofre, bicampeão mundial de boxe

Masp

99

“ *São Paulo é uma cidade que nos fascina pelas contradições e pelos contrastes. A gente ama e odeia, nos provoca e nos estimula, nos envolve e nos desespera, nos exaure porque não pára. Ela tem tudo o que outras cidades têm, porém não teve e não tem o cuidado de preservar os traços do urbanismo e da arquitetura. Reconstruiu-se numa emaranhada linguagem, cujos contrastes têm a sua personalidade.* ”

Edo Rocha, arquiteto e diretor executivo da Edo Rocha Espaços Corporativos

100

“ *São Paulo tem o calor humano do latino. Nova York e Londres também são cosmopolitas, mas não têm o calor humano do brasileiro. Gosto de fazer compras e visitar o Mercado Municipal. Ia lá com meu avô quando eu tinha 6 anos de idade e, 40 anos depois, o lugar continua único. Imperdível é provar o pastel de bacalhau.* ”

Edgar Corona, presidente da rede Bio Ritmo Academia

101

“ *Gosto de São Paulo porque é a terceira maior cidade do mundo e tudo de que preciso para minha arte e meu trabalho encontro aqui. Além disso, as pessoas são muito simpáticas. Eu diria que as mais simpáticas do Brasil! Temos uma culinária espetacular (comemos em São Paulo a melhor pizza do mundo). E os jovens nos seus guetos vão criando um mundo underground que não existe em outro lugar da América do Sul.* ”

Edgard Scandurra, músico

102

“ *Gosto de São Paulo porque tem tudo de que preciso, principalmente daquelas ruas onde se concentram várias empresas e lojas com produtos e serviços semelhantes, como a Santa Efigênia para eletrônica, a Barão de Limeira para refrigeração e a General Osório para motos.* ”

Edison Raymundi Junior, empresário

Catedral Metropolitana da Sé

103

❝ Vista da minha cidade de Bauru, São Paulo era um sonho de garoto que queria dar certo na vida, mas tinha medo do bicho-papão: 'Cuidado com a cidade grande, ela tem muitos centros...'. Depois se tornou oportunidade e muito trabalho. São Paulo tem uma boa oferta cultural, bons restaurantes e excelentes padarias. A caminhada pelo Ibirapuera, a ida ao Masp, a feira da Liberdade aos domingos, as cantinas do Bixiga e o bauru do Ponto Chic são imperdíveis! ❞

Edson Celulari, ator

104

❝ São Paulo é uma cidade inexplicável. É desumana por ser tão grande, mas ao mesmo tempo humana por acolher a todos. É a cidade da confiança e da desconfiança: confiamos nela, mas não podemos confiar em ninguém. ❞

Edson Maciel, matemático e comerciante, dono de uma loja de artigos religiosos na Lapa

105

❝ Recomendo passear no Sítio do Capão, que pertenceu ao bandeirante Fernão Dias Paes e que até hoje guarda parte da Mata Atlântica nativa. Hoje se chama Parque Siqueira Campos, mas no meu tempo de menino era simplesmente o Parque do Trianon. ❞

Eduardo Coelho, diretor da Brazil Realty

106

❝ São Paulo é a cidade mais cosmopolita da América Latina. Nos mais diferentes cantos podemos encontrar um pedaço de cada parte do mundo e, sobretudo, de tantos Brasis. Seu grande mérito é oferecer oportunidades de lazer, cultura, entretenimento e negócios para centenas de perfis, estado de espírito, gosto e expectativas.
São Paulo não é apenas a cidade onde nasci. É a cidade que escolhi para viver e ter uma família. ❞

Eduardo Fischer, empresário, presidente do Conselho do Grupo Total, principal executivo da rede Fischer America de agências

Oca, Parque do Ibirapuera

107

" Para mim, São Paulo é fonte de informação, principalmente. É também um enigma, pois são muitas as faces e, quanto mais penso que a conheço, mais me surpreendo. Sempre que fiquei longe por muito tempo, senti 'banzo'. Com tantas contradições, de uma coisa estou certo: aqui é o meu lugar. "

Eduardo Gudin, compositor, violonista e arranjador

108

" São Paulo é a cara do Brasil. Representa sua história e memória. É a cidade mais brasileira de todas porque o Brasil está dentro dela. As pessoas dizem que São Paulo não tem uma cara definida, mas é a cidade menos típica porque ela é o país inteiro em um só lugar. "

Eduardo Sanovicz, historiador e presidente da Embratur

109

" Gosto de São Paulo porque tem opções para todos os gostos: vida cultural, social, esportiva, entretenimento. Aqui existe a facilidade de encontrar tudo num único lugar. Um programa imperdível é passear no Mercado Municipal e comer um sanduíche de mortadela ou pernil. "

Eliana Penna Moreira, sócia-diretora da Lita Mortari

110

" O que São Paulo tem que outras cidades não têm? A Daslu! "

Eliana Tranchesi, diretora-presidente da Daslu

111

" Não consigo me imaginar em outro lugar. Não existe vida sem São Paulo. "

Elias George Âmbar, comerciante, dono do Armarinho Âmbar, que existe há 51 anos na Rua 25 de Março

Estação Júlio Prestes

112

“ *Um retrato muito bom de São Paulo é o trem: ele é que traz as pessoas da periferia, transporta ricos e pobres, é moderno e antigo. Para mim, o melhor lugar da cidade é a Estação da Luz. Antigamente, isso aqui era sua sala de visitas. Estrangeiros que chegavam eram recebidos aqui, tamanha a beleza da estação. É uma velha senhora, tem 103 anos, continua funcional e com o pique de uma menina.* ”

Elias Pereira da Silva, funcionário do Departamento de Patrimônio e Preservação Ferroviária da Estação da Luz há 13 anos

113

“ *Assim como o coração é um órgão único no corpo de uma pessoa, São Paulo é única. É o coração do país, onde as coisas acontecem com velocidade e paixão. Gosto muito de andar no Alto da Boa Vista. Lá tem muitas árvores nativas brasileiras, tem crianças andando de bicicleta. Tem vida.* ”

Elizabeth Bruno, sócia-proprietária das farmácias HN Cristiano

114

“ *São Paulo é uma cidade aberta a novas possibilidades, com uma visão de futuro. Foi a primeira a me aceitar do meu jeito, com meu visual. É cultural, curiosa e gay. Mas é, sobretudo, uma cidade italiana, no sentido de ser bem resolvida. Seja no trabalho, seja no sexo, é 'Orra, meu! E vamos lá!'.* ”

Elke Maravilha, atriz

115

“ *Gosto de São Paulo pela sua energia, pela sua capacidade de trabalho, pela sua irreverência cultural e artística e, principalmente, pelo seu potencial de realizações.
Um programa imperdível é não viajar em um fim de semana prolongado e ter a cidade toda só para você, curtindo parques, cinemas e restaurantes de uma grande cidade com um número de pessoas de uma cidade normal.* ”

Emerson Kapaz, presidente do ETCO (Instituto Brasileiro de Ética Concorrencial)

Avenida Paulista

116

"São Paulo é o retrato de uma cidade onde tudo se mistura numa única brasilidade. Nesta cidade nada está parado, nem mesmo as imagens dos cartões-postais."

Emidio Luisi, fotógrafo

117

"São Paulo é verdadeira, não é artificial. É um pot-pourri de mundos numa cidade só. São Paulo é São Paulo, não tem igual. Acho que é o melhor lugar do mundo para comer uma deliciosa pizza. Nem mesmo a Itália nos supera! Adoro comer pizza e ouvir tarantela no bairro do Bixiga, no Gasômetro ou na pizzaria Speranza, em Moema."

Eneida Bini, presidente da Avon Brasil

118

"São Paulo é a cidade de todos, independentemente de raça, cultura, nível social, religião ou partido político. Essa característica a enriquece, a torna encantadora e única. A cidade nos oferece de tudo 24 horas por dia e me faz orgulhoso quando, ao mostrá-la aos nossos visitantes, vejo-os fascinados por seu dinamismo e sua grandiosidade."

Ernest Egli, presidente de Produtos Roche Químicos e Farmacêuticos

119

"São Paulo tem uma variedade de pessoas, miscigenação racial e cultura non-stop. Recomendo, no meio do dia, fazer uma caminhada no Parque Circular do Bosque, onde nos isolamos do burburinho da cidade."

Esther Giobbi, decoradora

120

"Considero difícil identificar o que gosto mais em São Paulo. Na verdade, São Paulo não nos permite isso e muito menos pede licença para nos invadir com sua pujança avassaladora. De São Paulo, não se gosta do óbvio. Parafraseando um ex-ministro brasileiro, diria que não se pode simplesmente 'estar' em São Paulo – não há condição de sobrevivência. Somente nos é possível 'ser' São Paulo, com a intimidade de quem conhece todas as suas virtudes, enevoadas pelos seus defeitos."

Eugenio Deliberato, presidente da Bridgestone Firestone do Brasil

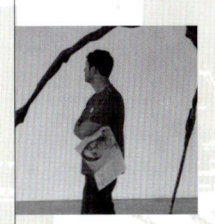

Sala São Paulo

Mercado Municipal

Feira da Praça Benedito Calixto

Theatro Municipal

121

❝ Sou carioca e vim para São Paulo em 1952, com 10 anos de idade. Creio que meu temperamento irrequieto e um embrião de espírito empreendedor levaram-me a me apaixonar, ainda garoto, pela cidade. Comecei a trabalhar no Centro Antigo (Rua Sete de Abril) em 1956, com 14 anos, e nunca mais parei. Gosto de São Paulo principalmente pelo ambiente cosmopolita e pelo dinamismo de seu mundo econômico. ❞

Eugênio Staub, presidente da Gradiente

122

"Um teatro onde adoro ver peças é o da Faap. Fiquei maluco quando me apresentei lá. É especial justamente por estar dentro de uma escola.
O Original é um bar perfeito para encontrar os amigos e ficar à vontade. Adoro o pot-pourri de bolinhos e sanduíches que tem lá. ❞

Fábio Assunção, ator

123

❝ Eu amo São Paulo porque, apesar de todos os problemas, é um lugar maravilhoso para criarmos nossos filhos. São Paulo é a cidade mais democrática do Brasil. Aqui tudo se pode, tudo é permitido.
Um lugar que marcou a minha infância foi o Museu do Ipiranga. É inesquecível. ❞

Fábio Bibancos, cirurgião-dentista e fundador da ONG Turma do Bem

124

❝ A cidade tem muita vida e oferece oportunidades para os desejos mais variados. Simplesmente, é aqui que as coisas acontecem. Recomendo caminhar pela cidade numa manhã ensolarada de domingo. Pode ser num parque, numa praça, no Centro Velho ou na Avenida Paulista. Há muito o que ver e aprender. ❞

Fabio Colletti Barbosa, presidente do Banco Real

125

❝ Gosto de São Paulo pela quantidade de imigrantes e migrantes que abriga e pelos bairros que essas famílias constituíram, dando um caráter diversificado e multicultural à metrópole.
Um lugar imperdível é o Theatro Municipal, pelo edifício e pela sua eclética programação. E também a Praça Ramos de Azevedo, ao lado do teatro. ❞

Fabio Namatame, cenógrafo e figurinista

126

❝ Gosto de São Paulo pela sua fervilhante vida sociocultural e gastronômica. São Paulo ainda mantém ícones das famílias tradicionais, diferenciando-se de outras grandes metrópoles que acabaram esquecendo esses valores que determinam o caráter de uma cidade.
Imperdíveis são os eventos culturais da Casa da Fazenda do Morumbi. ❞

Fabio Porchat, empresário cultural

127

❝ Quando eu era criança e viajava, não demorava uma semana para pedir a meus pais para voltar para 'minha São Paulo'. A sensação continua até hoje.
Adoro minha casa. ❞

Fábio Vianna, diretor-geral da Paramount Home Entertainment do Brasil

128

❝ O trânsito é uma bagunça, temos violência, falta infra-estrutura, mas, quanto mais a gente vive em São Paulo, mais a gente gosta dela.
Mesmo com toda sua grandiosidade, cada canto de São Paulo tem um pouco de cidade pequena, e isso a torna ainda mais especial e fascinante. São Paulo só não é perfeita porque a praia está a 50 quilômetros.
Apesar de todos os seus problemas, é a cidade que eu amo. ❞

Fausto Silva, apresentador de televisão

Mercado Municipal

129

❝ É uma cidade que aceita bem as diferenças entre as pessoas. Todo tipo de gente circula sem constrangimento por todos os lugares. Ou quase todos. O diferente de São Paulo é que não há programas imperdíveis. Todos são mais ou menos 'perdíveis', mas, num todo, formam um pacote irresistível. ❞

Fernanda Young, escritora

130

❝ Tenho uma relação de amor e ódio com São Paulo. Ao mesmo tempo que detesto o trânsito, adoro a riqueza cultural da cidade. Um espaço agradável é o Instituto Cultural Tomie Othake. Além de exposições bacanas, lá tem restaurante, cafeteria, livraria e loja de CDs. ❞

Fernando Fernandez, marchand e expositor da Feira de Antiguidades do Masp

131

❝ São Paulo tem 256 km de engarrafamento, mistura de raças, azaléias, dois rios que se encontram, a USP, o Corinthians, poluição sonora, visual e do ar, o futuro Museu da Palavra na Estação da Luz, a Sala São Paulo, uma rua só de eletrônicos, uma só de vestidos de noivas, um bairro japonês, um bairro nordestino, judeus ortodoxos, monges budistas, cerimônias do Santo Daime, campeonato de beisebol, de críquete, golfe, aulas de esqui aquático, Bienal, gente que quer fazer e faz, bem-te-vis no meu jardim, sabiá, periquitos. Poucas cidades têm todas essas coisas juntas. ❞

Fernando Meirelles, arquiteto e diretor de cinema

132

❝ Viver em São Paulo é conhecer o mundo sem pegar o avião. Andando devagarzinho, parando, andando devagarzinho, parando... Em São Paulo tudo acontece. Se ainda não aconteceu... ops, acabou de acontecer. ❞

Fernando Meligeni, tenista de final de semana e empresário

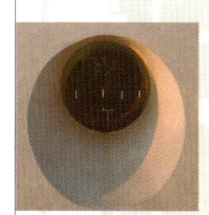

133

❝ Gosto do anonimato das pessoas e da liberdade e criatividade que derivam daí. A cidade é vibrante e produtiva como poucas, apesar do caos e da desordem que aparentemente não combinam com tamanha pujança.
O eixo Avenida Paulista-Rua Augusta é um dos meus locais favoritos, com destaque para a Livraria Cultura e para o Espaço Unibanco de Cinema. ❞

Flávio Gikovate, psicoterapeuta e escritor

134

❝ São Paulo para mim é um país, de tão grande que é. E um dos melhores países do mundo! Tenho muito orgulho desta cidade acolhedora, onde estou desde 1957, quando vim de Portugal.
Recomendo um passeio pela Praça Pan-Americana – que para ficar uma praia perfeita só falta o mar. ❞

Flávio Moreira, proprietário do restaurante Senzala, que existe há 32 anos na Praça Pan-Americana

135

❝ Gosto de São Paulo porque é a única metrópole no Brasil com as características das principais cidades do Primeiro Mundo. Tem um mix de culturas e raças, eventos e oportunidades como poucos lugares. Recomendo assistir a um concerto ou ópera no Theatro Municipal e em seguida jantar em um dos muitos ótimos restaurantes da cidade. ❞

Flavio Pimenta, músico, fundador e presidente da ONG Meninos do Morumbi

136

❝ São Paulo tem um poder de mobilização impressionante e uma solidariedade rara. Aqui, quase sempre, você encontra alguém solidário com a sua dor ou até para acompanhá-lo nas alegrias. Se você fizer um pequeno esforço, sempre terá companhia, mesmo nos momentos de precariedade, como alagamentos, incêndios etc. Até os moradores de rua em São Paulo dificilmente ficam sós. ❞

Flavio Prado, jornalista

137

❝ Entro no trabalho às 19h30 e saio às 6h da manhã. O trânsito, que incomoda tantas pessoas, não me afeta. Não trocaria por nada a vida noturna. É quando São Paulo é mais bonita: toda iluminada e silenciosa. Acho muito gostoso passar uma noite no bar executivo do Terraço Itália. Ver a vista da cidade, tomar um drinque. As poltronas são tão bonitas e confortáveis que tem gente que até dorme nelas! ❞

Florisvaldo da Rocha Lira, o "Seu Chacrinha", ascensorista do Edifício Itália há 35 anos

138

❝ Cheguei a São Paulo em junho de 1952, fugindo do regime do ditador Francisco Franco. Logo percebi que a melhor coisa da cidade não eram os prédios altos nem as largas avenidas. Também não eram os teatros, cinemas, bares e restaurantes, tampouco os viadutos, pontes ou monumentos. O que mais me impressionou em São Paulo foram os paulistanos. Sem dúvida, é o maior patrimônio da cidade. São pessoas doces, educadas, simpáticas, corretas e laboriosas. ❞

Francesc Petit, publicitário

139

❝ Assim como muitas outras pessoas, cheguei a São Paulo circunstancialmente. Foi aqui que fiz minha vida e minha família, foi onde encontrei todas as oportunidades para me desenvolver profissionalmente e ter coragem de abrir minha empresa. Não gosto especificamente de uma coisa em São Paulo. Gosto, sim, dos detalhes que, cuidadosamente costurados, formam um patchwork único, decorando o espaço de meus sentimentos e emoções. ❞

Francisco Alberto Madia de Souza, diretor-presidente do Madia Mundo Marketing

140

❝ São Paulo é tão bela quanto o Rio de Janeiro. A diferença é que lá as belezas foram feitas por Deus e as daqui, pelos homens. É uma cidade que fabrica loucos – mas quero morrer louco em São Paulo. ❞

Francisco Ranieri Netto, presidente do Sindicato dos Jornaleiros de São Paulo e dono de banca de jornal na região da Avenida Paulista

Pinacoteca do Estado

141

“ Sou paulistano dos Campos Elíseos. Fiz o primário no Instituto de Educação Caetano de Campos, na Praça da República. Depois da aula, ia jogar futebol no parquinho que ficava no centro da praça e, mais tarde, no caminho para o Liceu Coração de Jesus, onde fiz o ginásio, ficou marcada em minha memória a imagem de velhos casarões com amplos jardins e jabuticabeiras. A cidade cresceu, os casarões foram substituídos por arranha-céus, as jabuticabeiras viraram semáforos, postes e luminosos, mas uma atmosfera européia ficou enraizada nos hábitos e costumes do povo. Hoje São Paulo é uma megalópole, não tem mais a garoa, mas o desenvolvimento não a desumanizou. Ao contrário, hoje ela oferece uma programação cultural intensa, os melhores restaurantes do mundo, um comércio efervescente e dinâmico e, claro, uma violência 'digna' das grandes aglomerações populacionais. Esse amálgama de ingredientes, essa pulsação neurótica e tudo mais é que fazem de mim um eterno e inabalável apaixonado por este inferno maravilhoso que é São Paulo. ”

Fulvio Stefanini, ator

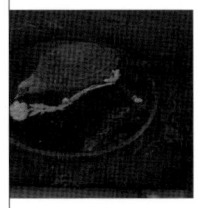

142

“ Gosto de São Paulo porque nos oferece oportunidades que nos levam a superar desafios. Ela tem diversidade cultural e atrações mil. Um programa que recomendo é caminhar em seus parques e vias públicas. ”

Gabriel Jorge Ferreira, presidente da Febraban (Federação Brasileira dos Bancos)

143

“ Não sei se outras cidades têm a tenacidade de São Paulo, sua vontade de crescer, sua vibração, seu brilho, sua população inquieta caminhando em todas as direções no desafio diário do trabalho para o cumprimento do desiderato de ver o país crescer, apesar de todas as dificuldades. O DNA de São Paulo é ímpar, mescla dos anseios do trabalhador, do professor, do médico, do engenheiro, do motorista, do gari, dos profissionais de todas as faces, pois esta cidade acolhe gente que sonha, cria, trabalha e realiza. Portanto, vejo São Paulo como uma cidade única no Brasil e no mundo. ”

Gabriel Mário Rodrigues, reitor da Universidade Anhembi Morumbi

Palácio da Justiça

144

" Recomendo uma visita às cantinas do Bixiga, regada a muito vinho numa noite de frio. Um passeio pelo Ibirapuera num domingo de sol. Tomar um caju amigo no final das manhãs de sábados no Pandoro, reduto dos famosos boêmios da cidade. Assistir a um bom filme nas acolhedoras salas do Unibanco Arteplex, as melhores de São Paulo. As poltronas são confortáveis, o som é maravilhoso e você ainda tem toda a estrutura de lazer do shopping. "

Gaudêncio Torquato, consultor de marketing político e professor de comunicação da USP

145

" São Paulo é a cidade do imprevisto. Se você quer ir ao cinema das 8, pode acabar indo ao teatro das 9 ou virar um jantar das 10. A vida urbana caótica, cheia de filas, contribui para novas descobertas, que a cidade não pára de oferecer. Nisso, São Paulo é farta. Há quem tenha infarto por isso, mas acontece que morar em São Paulo, hoje mais do que nunca, exige bom humor, uma boa dose de complacência e, às vezes, resignação para aceitar os destinos que ela impõe. Gosto de São Paulo porque a mesma cidade que corta um desejo te dá outro. Gosto de São Paulo também porque a cidade 'liquidifica' tudo e todas as modas e modinhas. "

George Alonso, jornalista, editor do caderno São Paulo do jornal Diário de S. Paulo

146

" São Paulo é uma cidade de vida própria, cosmopolita. Tem seus problemas, mas é uma colméia de trabalho. É generosa, sem preconceitos e acolhe a todos de braços abertos. Aqui sempre cabe mais um. "

Geraldo Alckmin, governador do Estado de São Paulo

147

" Não dá para vir a São Paulo, capital mundial da gastronomia, e não provar um bom prato em algum dos nossos bons restaurantes. São Paulo possui restaurantes com comidas típicas de 45 países. Nenhuma cidade no mundo tem isso. "

Geraldo Nunes, jornalista, repórter aéreo e apresentador do São Paulo de Todos os Tempos, na Rádio Eldorado AM

148

❝ Foi a cidade que me acolheu quando cheguei da Itália, em 1956. Vim para cá porque São Paulo era a melhor cidade do Brasil para trabalhar e continua sendo até hoje. É a minha segunda pátria, talvez a primeira, pois moro há mais tempo aqui do que morei na Itália. ❞

Giancarlo Bolla, restauranteur e proprietário do La Tambouille e O Leopolldo

149

❝ Nasci no Pari, subdistrito do Brás, descendente de imigrantes italianos. Minha infância e adolescência foi ainda na época da garoa, do frio, do glamour do velho centro da cidade. Uma cidade elegante, com prédios com influência de arquitetura francesa. Numa época em que eu jogava basquete no Floresta e aconteciam competições de remo no Tamanduateí. Nos tempos da faculdade e nos primeiros anos na *Última Hora*, íamos todos de paletó e gravata. Gosto da cidade porque cresci com ela, conheço seus mistérios, suas alegrias e suas dores. Gosto do seu cinza, gosto dela no frio e só não gosto no calor. ❞

Gilberto Di Pierro (Giba Um), jornalista

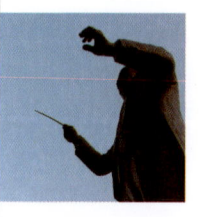

150

❝ São Paulo é uma cidade acolhedora que nos recebe com muito afeto e nos proporciona momentos mágicos. Tem tudo a qualquer hora, desde uma flor a uma grande mesa para brindarmos os momentos da nossa vida. Amo São Paulo pois é a minha segunda mãe. Me educou e me tornou um homem. Devo tudo a ela. ❞

Giovanni Bruno, proprietário do restaurante Il Sogno di Anarello e um dos maiores admiradores de São Paulo

151

❝ A mistura de vários 'tipos' de brasileiros dá um sabor especial à cidade. É o centro onde tudo acontece e que tem um lado cultural muito forte. Você fica antenado e pode assistir a shows e peças que só são apresentados em outras capitais do mundo. Minha fase de boêmio já passou, mas a vida noturna de São Paulo é única. ❞

Glauco, cartunista

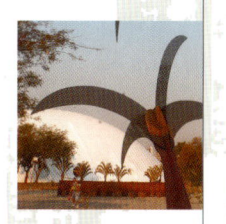

154

" A São Paulo devo minha ressurreição. Morri em 76 na UTI da Beneficência Portuguesa, e lá mesmo ressuscitei. Eu era carioca! "

Goulart de Andrade, jornalista

152

" Gosto de São Paulo porque ela é para mim como Londres, Paris, Milão ou Nova York. Tudo de que necessitamos para viver encontramos aqui. No Parque do Ibirapuera, você pode fazer qualquer tipo de esporte e visitar a Oca e a Bienal. O parque é selvagem e lindo. Outro programa imperdível é andar a cavalo na represa de Guarapiranga. "

Glória Coelho, estilista

155

" A cidade tem estilo. Apesar de todas as misturas sociais, arquitetônicas e culturais, São Paulo tem um estilo sólido, uma coisa que deixa todas as outras cidades com aquele ar de 'prima do interior'. "

Graziella Moretto, atriz

153

" São Paulo é borbulhante e tem vida. Um programa que recomendo é assistir a um concerto na linda Sala São Paulo. "

Glória Funaro, estilista

156

" São Paulo é uma mãezona de braços abertos, hospitaleira e misteriosa. Não se dá facilmente e é preciso que a gente tenha persistência. "

Gregório Gruber, artista plástico

Casarão na Avenida Paulista

157

"*A diversidade de povos e raças faz de São Paulo uma síntese de todas as nações e um exemplo de convivência humana que deveria servir de espelho ao mundo. Graças à sua diversidade, São Paulo é um centro gastronômico sem igual.*"

Guilherme Afif Domingos, presidente da Facesp (Federação das Associações Comerciais e Empresariais do Estado de São Paulo) e da ACSP (Associação Comercial de São Paulo)

158

"*Nasci no Rio, mas São Paulo é minha cidade, minha casa. É onde cresci, onde fiz amigos e onde adoro ficar. Aqui você encontra tudo a qualquer hora. Como dar um pulo às 4h da manhã na Galeria dos Pães para tomar uma sopa e fazer umas comprinhas. Não consigo sair de lá de mãos vazias.*"

Guilhermina Guinle, atriz

159

"*Talvez não saberia viver fora de São Paulo. Quando viajo, fico desesperada para voltar. Estou acostumada ao corre-corre daqui. Gosto de ir ao Centro Cultural Banco do Brasil. Um dia, entrei lá às 11h da manhã e só saí às 8h da noite! Vi uma exposição, tomei um lanche na cafeteria, assisti a dois filmes. O dia acaba e você nem percebe.*"

Guiomar Terrabuio, ascensorista do Edifício Martinelli há 19 anos

160

"*Há mil razões para gostar de São Paulo, mas a melhor delas é a Orquestra Sinfônica. As apresentações são sempre impecáveis e belas, um bálsamo para a alma. E a Estação Júlio Prestes, onde a Sinfônica toca, nos recorda sempre a importância de preservar as construções e o legado de nossos antepassados.*"

Hans Stern, fundador da rede de joalherias H. Stern

161

"Gosto de São Paulo porque um lugar com 10 milhões de pessoas produz e precisa de gente criativa para nos permitir lidar com a complexidade que esse tipo de aglomeração urbana impõe. Um programa imperdível é passar sábado de manhã no Parque da Água Branca. Um aprendizado sobre o significado do espaço público na cidade."

Haroldo da Gama Torres, demógrafo e pesquisador do Cebrap (Centro Brasileiro de Análise e Planejamento)

162

"Ainda não encontrei o que São Paulo não tem. É um dos lugares que conheço onde se pode ganhar bem – e bem gastar, sem ostentação."

Harry Simonsen Jr., presidente da Simonsen Associados

163

"Gosto do dinamismo, do corre-corre, da fé que as pessoas depositam em si mesmas. São Paulo é como aquele grupo que a Rita Lee integrava: MUTANTE. E tem um aspecto engraçado: a cidade é mais mãe do que madrasta. Ela acolhe bem os estrangeiros. Está certo que hoje em dia o desemprego é grande, mas em geral as pessoas acabam encontrando aqui o que buscavam. Nossa cidade é maior que as crises. E também por isso é especial."

Hebe Camargo, apresentadora de televisão

164

"Sou um carioca vivendo como paulistano e, justamente por isso, o meu olhar é diferente. São Paulo é uma metrópole com uma dinâmica inigualável, tem um movimento particular que não encontro em lugar nenhum do planeta. Temos uma cozinha internacional que, com o passar do tempo, incorporou pitadas regionais e ingredientes raros. Jantar em São Paulo é uma experiência imperdível."

Hélio Magalhães, presidente da American Express do Brasil

165

❝ São Paulo é a cidade onde nasci, vivo e trabalho. Por mais que reclame da violência, do trânsito caótico, da poluição, não vivo sem ela.
É uma cidade ligada 24 horas por dia. Aqui tudo acontece. É uma cidade de grandes oportunidades para quem sabe aproveitá-las. ❞

Henrique Cambiaghi, arquiteto e urbanista, diretor da CFA Cambiaghi Arquitetura e presidente da ASBEA (Associação Brasileira dos Escritórios de Arquitetura)

166

❝ O que São Paulo tem que outras cidades não têm? Seu dinamismo, sua produtividade e sua capacidade de acolher e integrar pessoas de todas as raças e credos. Gosto daqui porque é onde moro há 33 anos. É a 'minha' cidade. E sinto que idéias novas e criativas nascem aqui a cada dia. Recomendo conhecer a Praça Vilaboim, perto de onde moro. É um toque de verde no meio da selva de pedra. ❞

Rabino Henry I. Sobel, presidente do Rabinato da Congregação Israelita Paulista

167

❝ Cada dia me impressiona mais quanto esta cidade pode me fascinar. A palavra 'monotonia' não existe no seu dicionário, mas sim 'vida'.
São Paulo tem uma mistura incrível de etnias e culturas, que a torna completamente internacional. Não existe um programa ou um desejo que não possa ser realizado neste gigantesco centro cultural.
É difícil indicar um único programa dentre tantas opções que a cidade oferece, mas o Masp é imperdível. ❞

Herbert Schmid, presidente da Santista Têxtil

168

❝ São Paulo é o melhor da globalização. Aqui você tem todas as raças, tecnologia, moda e gastronomia, tudo com nível internacional. A Avenida Paulista, para mim, é o maior símbolo disso. Por isso, alguns amigos vêm ao Brasil uma vez por ano para me ajudar a deixá-la limpa como ela deveria ficar todos os dias. ❞

Hideaki Iijima, fundador do Soho (salões de cabeleireiro)

Pátio do Colégio

169

❝ Gosto da cosmopolita São Paulo, pois sou um ser urbano por excelência e encontro aqui a mistura de ação e informação que me alimenta. É um privilégio viver num lugar onde não falta nada: prazer, informação, estimulação, dificuldades, reações e soluções. Recomendo ir ao Mercado Municipal para espiar e comprar, no sábado cedo. Sair de lá em busca de um café e sentar-se calmamente para ter o prazer antecipado da apresentação da nossa orquestra na Sala São Paulo, na Estação Júlio Prestes, às 16h do mesmo dia. ❞

Horacio Lafer Piva, presidente da Fiesp/Ciesp (Federação e Centro das Indústrias do Estado de São Paulo)

170

❝ A maioria dos atletas que veste a camisa da seleção brasileira, seja qual for a modalidade, treina em São Paulo. É onde as coisas acontecem, onde você pode comprar do bom e do melhor. Você sai à noite e sempre acha algo interessante para fazer: boates, restaurantes, teatros, shows, exposições. E, se der vontade, é só pegar o carro que você logo está na praia. ❞

Hortência, ex-jogadora de basquete

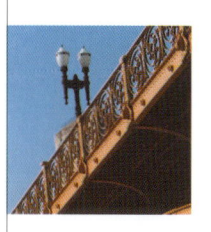

171

❝ São Paulo tem tudo: variedade cultural e acesso a qualquer coisa que você queira. É uma cidade onde é possível ficar anônimo. Um programa imperdível é ficar em São Paulo durante os feriados prolongados. ❞

Hugo Marques da Rosa, presidente da Método Engenharia

172

❝ São Paulo atrai gente com suas ilusões. Para mim, a cidade representa esperança: sempre acho que um dia as coisas vão melhorar. ❞

Ilton Luiz Conceição, gerente da Banca Europa, que funciona 24 horas na esquina da Avenida Europa e Rua Groenlândia há cerca de 40 anos

173

❝ São Paulo representa tudo na minha vida. Não sei ficar longe daqui. Toda vez que chego à cidade começo a chorar de felicidade e tenho o maior prazer em pisar neste chão. Se sair de São Paulo, eu não vivo. ❞

Inezita Barroso, cantora e apresentadora do programa *Viola, Minha Viola*

Feira da Praça Benedito Calixto

174

❝ Aqui está meu passado. Morei em Moema quando criança. Nos anos 50, ainda havia campinho de futebol de terra batida e festa junina de rua no bairro. São Paulo faz meu coração bater mais forte e me lembra Rita Lee. ❞

Iracema Rabi Saliby, antiquária, expositora da Praça Benedito Calixto e da Feira de Antiguidades do Masp

175

❝ Para trabalhar, São Paulo é o melhor lugar que existe. Agora, o que marca a cidade é o ritmo: ligeirinho, ligeirinho. É tudo muito rápido. ❞

Iraci Kadoni, vendedora de flores no Ceasa há 25 anos

176

❝ São Paulo é a capital do trabalho, sem perder o jeito brasileiro de ser. A cidade tem a obstinação da urgência. Nada pode ficar para depois. ❞

Ivo Alves da Cunha, presidente da Gafisa

177

❝ São Paulo é o que existe de melhor dentro do Brasil. Oferece grandes oportunidades artísticas e de trabalho.
Adoro a Casa Verde, bairro onde me criei, e o Horto Florestal. E, como todo bom paulistano, sou um comedor de pizza. A napolitana da Real Pizzaria e Lanchonete é especial. ❞

Izaías do Bandolim, músico, compositor e arranjador

178

❝ São Paulo é minha terra-mãe. Sou um músico paulistano, com características daqui. Tenho até uma música em homenagem à cidade, chamada *Uma Outra Beleza*. Gosto muito do Supremo Musical, um local que mistura comida e música. É restaurante e casa de espetáculos. ❞

Jair Oliveira, músico e compositor

Edifício do Banespa

179

"Gosto do tumulto natural e das coisas escondidas que existem para descobrirmos na cidade. Para mim, tudo em São Paulo é bonito. Até o Rio Tietê. Não sei explicar, acho que é a nostalgia de 30, 40 anos atrás."

Jair Rodrigues, intérprete

180

"Não existe platéia como a de São Paulo. É uma empatia maluca. As pessoas se integram e me sinto muito mais humana. Forma-se um elo através do som. Foi aqui que encontrei eco para seguir minha carreira. Não tenho como expressar minha gratidão à cidade."

Jane Duboc, cantora, compositora, produtora e proprietária da gravadora Jam Music

181

"Nasci na Maternidade São Paulo e apenas me ausentei da cidade, por mais de 30 dias, uma única vez. Todos os meus amigos, afetos e desafetos estão aqui.
Os problemas que a cidade apresenta acabaram por fazer com que nós, os seus habitantes, aprendêssemos a tirar proveito dos pequenos prazeres, enfrentando os medos reais e imaginários. Nos tornamos cúmplices na solidão, de forma a nos sentir sempre em companhia, mesmo sós, de gente de coragem. Por isso gosto daqui: somos gente de coragem. Um programa imperdível é passear de bicicleta pelo Centro Velho, na madrugada, com um grupo de bikers."

Jayme Brasil Garfinkel, vice-presidente-executivo da Porto Seguro Seguros

182

"São Paulo é uma cidade cosmopolita e efervescente que borbulha sem parar, num sorriso caótico. A cidade tem uma mentalidade aberta por conviver com numerosas culturas.
Recomendo um concerto na Sala São Paulo, seguido de uma pizza no Camelo regada a chope e cachaça."

Jean Pierre Lapage, presidente da Solvay do Brasil

Edifício Viadutos

183

❝ Nasci no Mato Grosso e fui criada no Rio. São Paulo é um fecho na minha vida. Sou Cidadã Paulistana com muito orgulho. Quando saio da cidade, sinto muita falta de seu dinamismo, seu trânsito, sua fumaça, sua poluição. Adoro shopping centers! O meu preferido é o Iguatemi, onde não preciso ficar procurando muito as coisas. A escolha já está muito bem feita, eles selecionam o melhor e espalham por todas aquelas vitrines lindas. E gosto muito também de mercearias, em especial da Casa Santa Luzia. Passo horas lá dentro sem perceber. São tantos produtos, tanta coisa gostosa! ❞

Jô Clemente, presidente da APAE de São Paulo

184

❝ O que São Paulo tem que outras cidades não têm? Eu.
É uma cidade internacional que oferece uma vida cultural intensa e variada. Imperdível é ficar na minha casa assistindo DVD. ❞

Jô Soares

185

❝ Sou um 'paulistano' apaixonado pela nossa cidade, uma cidade que é um país. Além de me ajudar muito a me projetar para o mundo, é a única que nunca pára, vive em eterna ebulição. A cidade tem muito a ver com minha personalidade, pois, graças a Deus, sou muitíssimo ativo. É um belo casamento. ❞

João Armentano, arquiteto

186

❝ A metrópole acolhe a todos com o mesmo carinho, independentemente da sua origem, credo, cor ou profissão, e oferece as mesmas condições e oportunidades a todos. A cidade nunca pára. A gente sente como num imenso quebra-cabeça, onde cada peça de encaixe é representada por cada um dos que vivem aqui.
Nada melhor para fechar o dia do que um chope gelado no Bar Léo e uma visita no sábado à feira da Praça Benedito Calixto e seus restaurantes típicos. Isso é São Paulo. Para mim, o coração do mundo! ❞

João Batista de Lima, presidente da Ubrafe (União Brasileira dos Promotores de Feiras)

池崎商会

Rua Galvão Bueno, Liberdade

187

" É um lugar bom para viver porque acolhe ricos, pobres e mendigos, todos da mesma maneira. Acho que São Paulo comove as pessoas – se não emocionasse, ninguém estaria morando aqui. "

João Carlos da Silva, vendedor de flores da Avenida Dr. Arnaldo há 17 anos

188

" Gosto dessa predestinação de uma Nova York latino-americana sem um 11 de setembro. São Paulo tem essa caótica mescla de cultura com o kitsch, do calor humano com a garoa, do charme provinciano com o gigantismo de uma metrópole que não dorme. Imperdível é passear no Jockey Club (agora aberto aos não-sócios) e se deliciar com uma deslumbrante vista da bucólica corrida dos cavalos com os carros andando apressados na Marginal. "

João Daniel Tikhomiroff, diretor de filmes e presidente da JODAF

189

" Gosto de São Paulo porque gostar dela não exige explicação. São Paulo é Sampa, é paixão, é Sampaixão! Sampaixão de 450 anos e de milhões de apaixonados. E pronto!!! Almoçar ou jantar aqui ou ali, alhures ou algures, nesta paulicéia desvairada de pratos mineiros, baianos, italianos, árabes, japoneses, indianos, de todo o mundo, comendo um sanduíche no Mercado da Cantareira ou degustando, como bom gourmet, o máximo da gastronomia no Massimo. Ah, São Paulo, universalmente esperanto da culinária! "

João De Simoni Soderini Ferracciù, presidente do Grupo De Simoni

190

" Gosto de São Paulo porque foi nesta importante cidade que nasci, cresci, me realizei profissionalmente e constituí a minha família. É uma cidade hospitaleira, que acolhe pessoas de todos os Estados do Brasil e recebe de braços abertos os estrangeiros. É uma cidade que dá oportunidades a quem quer vencer na vida. "

João Heitor de Moura, empresário e presidente do Clube Atlético Juventus

Theatro Municipal

191

" São Paulo tem uma vida noturna maravilhosa. A qualquer hora se pode encontrar restaurantes, boates, cafés e todo o tipo de vida cultural. Após as 22h ou 23h, a cidade se transforma e fica calma, romântica e muito gostosa. Meu happy hour começa depois das 3h da manhã, depois que fecho os meus restaurantes, o Lellis e a Sta. Felicidade. Por isso, gosto de bater papo e encontrar os amigos em locais como o Passatempo, um bar com música ao vivo para um público selecionado. "

João Lellis, empresário da rede de restaurantes Lellis

192

" São Paulo representa uma grande parte da minha memória emocional. Perdi minha família cedo e, com isso, São Paulo virou um pouco meu pai, minha mãe, minha casa. Eu amo São Paulo.
São Paulo é uma mistura de todo o Brasil, com tudo de ruim e bom que isso possa ter. São Paulo não é uma cidade. São Paulo é São Paulo. "

João Marcello Bôscoli, músico, produtor e presidente da gravadora Trama

193

" São Paulo é minha vida. Toda minha vivência, pessoal e profissional, se centrou na cidade. Participei dos áureos tempos do TBC (Teatro Brasileiro de Comédia), da Vera Cruz. Foi aqui que construí minha base de ator. São Paulo cresceu demais. Isso tem um lado positivo e outro negativo. Ao mesmo tempo que é o esteio econômico do país, as favelas não param de aumentar. "

John Herbert, ator e esportista

194

" Apesar de todos os problemas, não deixo de gostar de São Paulo. A cidade não tem culpa do mal que fazemos a ela.
Adoro o Viaduto do Chá. O local faz parte da história de São Paulo. Pouca gente sabe que, logo que foi inaugurado, havia catracas e era preciso pagar pedágio para atravessá-lo. "

Jorge Augusto de Andrade, proprietário da Banca São Jorge, que funciona na Praça da Sé há 54 anos

195

" *Há cidades nas quais a gente entra. Há outras que entram na gente. Por muitas razões, São Paulo está dentro de mim: o Colégio São Bento; a Faculdade de Direito; o Palácio dos Campos Elíseos, quando trabalhei com Carvalho Pinto; a Redação da Última Hora, no Vale do Anhangabaú, quando fui seu diretor; o prédio da Companhia Paulista de Estradas de Ferro, na Líbero Badaró, onde estava a Secretaria da Cultura, de que fui titular; o Palácio dos Bandeirantes, onde Montoro deu vida à Campanha das Diretas; a Praça da Sé, naquele dia memorável; o enterro da Elis, na 23 de Maio; o do Senna, na Avenida Brasil; a agonia de Tancredo, no Incor; meus filhos nascendo, um por um, na Pro Matre; a TV Cultura, na Marginal do Tietê; o Pari Bar; o João Sebastião Bar; a Cinemateca e, hoje, a Sala São Paulo. Meu livro sobre São Paulo, que fiz com o Luiz Carlos Seráphico e o Paulo Henrique Cardoso; meu livro sobre os Matarazzo. Sou tão São Paulo quanto sou eu mesmo.* "

Jorge da Cunha Lima, jornalista, escritor e diretor-presidente da Fundação Padre Anchieta

196

" *Gosto de São Paulo porque é um trampolim para o mundo. Daqui partem aviões para quase todas as partes do mundo. Em apenas uma hora do centro de São Paulo chega-se ao aeroporto internacional. Em mais 12 horas está-se na Alemanha, por exemplo. Acho fascinante essa possibilidade de chegar fisicamente a quase qualquer parte do mundo, partindo diretamente de São Paulo.* "

José Ailton Garcia, advogado, vive há 44 anos em São Paulo

197

" *O mar azul, a Torre Eiffel, o verde exuberante, a Estátua da Liberdade. Epa! São Paulo não tem nada disso? É verdade, mas se não fossem as oportunidades que esta cidade me abriu, eu jamais teria conseguido curtir essas paisagens.
Não deixem de visitar o Pastéis Trevo de Bertioga, uma instituição gastronômica do litoral norte que, para nossa sorte, resolveu subir a serra e se instalar nos Jardins.* "

José Antônio Carlos, economista, consultor em tecnologia da informação e paulistano

198

" *Em São Paulo se encontram os melhores restaurantes, teatros e hospitais do Brasil. Nenhuma outra cidade no país oferece tamanha gama de serviços. A vida realmente acontece aqui. E São Paulo é o local ideal para trabalhar e ter negócios. É a melhor do país e uma das melhores do mundo.* "

José Armando Cerello, presidente da Armando Cerello Móveis

199

“ *São Paulo é um porto seguro para quem quer vencer na vida. Vivo em São Paulo há 56 anos. Casei-me, criei meus filhos e hoje estou ajudando a criar meus netos. Todos paulistanos. São Paulo tem sido um abrigo a migrantes de todas as partes do Brasil. Logo que cheguei, descobri no Parque da Água Branca um refúgio ideal para conviver com o verde e passear ao ar livre com segurança. Antes levava meus filhos. Hoje passeio com meus netos.* ”

José de Arruda, empresário no ramo do livro há 45 anos

200

“ *São Paulo acolhe, desampara, dá, tira, sufoca e oxigena quando quer, às vezes tudo ao mesmo tempo, às vezes um ato de cada vez. A possibilidade de ter acesso a tudo o que surgir na mente é um atrativo instigante. Se um visitante quiser conhecer um pouco sobre a Grécia Clássica durante uma rápida estadia em São Paulo, certamente encontrará um especialista em algum auditório explicando sobre o assunto para uma platéia bastante interessante.* ”

José Augusto Marques, presidente da Abdib (Associação Brasileira da Infra-estrutura e Indústrias de Base) e membro do Conselho de Desenvolvimento Econômico e Social

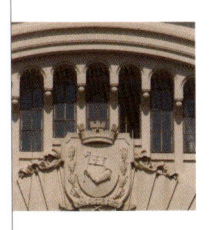

201

“ *São Paulo tem pujança durante o dia, brilho durante a noite e uma agitação frenética 24 horas por dia. Imperdível é aproveitar uma manhã de sábado no Mercado Central, onde se pode encontrar uma imensa variedade de condimentos e de temperos requintados e exóticos, além de saborear o especialíssimo pastel de bacalhau.* ”

José Dias Leite, consultor e sócio da JDLEITE & Associados

202

“ *São Paulo é o mundo em uma cidade. É um lugar único com uma enorme diversidade de povos, raças, costumes, religiões, das mais variadas localidades do Brasil e do exterior, sem distinção de classes e sem preconceitos. A convivência harmônica de uma grande variedade étnica, de línguas, sotaques, hábitos e ideais contribuiu para que São Paulo se transformasse em uma metrópole globalizada que, em seu ritmo frenético, concilia tradição e modernidade, lazer e trabalho, humor e responsabilidade, juventude e experiência.* ”

José Eduardo Luzzi, diretor executivo da MWM Motores Diesel

Sala São Paulo

203

❝ *Apesar de gostar de viajar pelo Brasil e pelo mundo, aqui é o centro do meu universo. São Paulo tem tudo o que se possa imaginar, de bom e de ruim, como qualquer outra grande cidade no mundo. Porém, temos vários programas imperdíveis, que pode ser jantar num restaurante com a mesma variedade da cozinha japonesa que se encontraria em Tóquio ou uma pizza tão boa ou melhor que a de Nápoles, assistir a um show da Broadway como em Nova York ou visitar uma exposição de artes como em Paris.* ❞

José Helio Contador Filho, presidente da Visteon Sistemas Automotivos

204

❝ *São Paulo representa um permanente desafio, uma tensão constante, um caldeirão em permanente ebulição no qual, ao mesmo tempo, você não conta ou faz toda a diferença.
Um programa imperdível? Essa é fácil: visitar uma, duas, cem vezes e se apaixonar pelo Zoológico de São Paulo, com seus mais de 4 mil animais e bosques de Mata Atlântica natural preservada.* ❞

José Luiz Catão Dias, diretor técnico-científico da Fundação Parque Zoológico de São Paulo

205

❝ *Cheguei a São Paulo em 1998, transferido pela ordem religiosa. Gosto de sua diversidade. Já morei em Santiago, Lisboa e Roma, que, assim como São Paulo, são cidades universais e têm muito a oferecer. Todos deveriam visitar o Pátio do Colégio para conhecer onde nasceu esta cidade, para saber suas origens.* ❞

Padre José Maria Fernandes, jesuíta e diretor do Memorial da Companhia de Jesus – Pátio do Colégio

206

❝ *São Paulo é uma cidade cheia de surpresas. Não parece bonita e tem suas belezas escondidas, em trechos inesperados em vilas antigas (como travessas da Rua Peixoto Gomide), construções do período áureo da arquitetura moderna, paredes floridas de azaléias. São ruazinhas sem saída, que muitas vezes passamos em frente sem vê-las. É uma cidade tão interessante que muitas vezes não conseguimos dar conta de tanta oferta. Nem sempre consigo visitar todas as exposições ou assistir a todas as peças e concertos que desejo. Gosto de São Paulo há mais de 80 anos, mesmo quando a cidade tinha fama de ser desinteressante.* ❞

José Mindlin, bibliófilo e advogado

MAM

207

❝ *Sou paulistano e tenho muito orgulho disso. Vi São Paulo crescer vorazmente. Todo mundo vem para cá porque é o local que mais dá emprego para o brasileiro. Há lugares bonitos, como o Horto Florestal, o Zoológico e o Parque do Ibirapuera. O Alto da Casa Verde, com matas e mansões. Na Avenida Paulista, as pessoas se perdem de tanta coisa legal que tem. E, se o Centro fosse melhor cuidado, seria o orgulho do Brasil.* ❞

José Mojica Marins, *cineasta e criador do Zé do Caixão*

208

❝ *São Paulo é meu mundo, berço, vida e túmulo. Para quem vem de fora, do Brasil ou do exterior, é assustadora e acolhedora. Não só a 'aglomerada solidão' do poeta Tom Zé (São São Paulo), mas também compreensão, solidariedade, humanidade... O melhor e mais acessível de todos os programas é um dia ensolarado no Parque do Ibirapuera. Mais sofisticados, o Theatro Municipal, a Sala São Paulo, o Terraço Itália.* ❞

José Paulo de Andrade, *jornalista da Rádio Bandeirantes*

209

❝ *Gosto de São Paulo porque é uma cidade acolhedora e tem tudo de que precisamos. Após uma boa peça de teatro ou um bom filme no cinema, recomendo ir a um excelente restaurante para degustar uma das melhores culinárias.* ❞

José Ricardo Roriz Coelho, *diretor-superintendente da Polibrasil Resinas*

210

❝ *Minha região preferida é o Jardins. Concentra a vida social e profissional da cidade, com seus teatros, restaurantes e edifícios. É agradável arquitetônica e urbanisticamente. Gosto muito de ir ao La Tambouille, com sua decoração encantadora e seu delicioso marrequinho com purê de maçã. Recomendo também o pato prensado do Parigi, uma receita importada direto de Paris.* ❞

José Theodoro Alves de Araújo, *advogado*

Mercado Municipal

211

"Quando vim para o Brasil, não tinha a mínima idéia do que este país iria aprontar para mim nem como iria me receber. Fiz como os pescadores da Catalunha, que saem todas as noites com seus barcos em busca de trabalho. Eu também, um dia, peguei um barco e fui em busca da sorte no outro lado do oceano. Esta viagem me trouxe a São Paulo. E, logo que aqui cheguei, j'ai tombé amoureux desta cidade, como dizem os franceses. Gostei tanto que decidi aqui viver e constituir família. Mas o que me agrada, sobretudo, em São Paulo, é o seu caráter cosmopolita. Morando aqui, sinto-me um cidadão do mundo."

José Zaragoza, sócio e diretor da DPZ

212

"São Paulo é o mundo em estado concentrado, para o bem e para o mal. Recomendo comer, beber, viver."

Josimar Melo, crítico gastronômico da *Folha de S. Paulo* e diretor do site de gastronomia Basilico

213

"Gosto de São Paulo porque aqui mora o Corinthians.
Só em São Paulo tem Corinthians. Aliás, o maior problema de São Paulo é não se chamar Corinthians.
Uma tarde no Parque São Jorge é imperdível!"

Juca Kfouri, jornalista

214

"Poderia listar 450 boas razões que fazem de São Paulo uma cidade maravilhosa. Ela é sempre dinâmica, com vida agitada, grande variedade de eventos culturais e aquele corre-corre delicioso de quem sempre tem algo importante a fazer.
É difícil encontrar lugares em que a palavra 'contraste' tenha tanta expressão como em São Paulo. É a cidade que abriga um prédio moderníssimo ao lado de uma arquitetura antiga, é o lugar do fast-food ao lado dos jantares preparados pelos grandes chefs de cozinha, das melhores exposições de arte internacionais ao lado de feiras de bugigangas deliciosas na Praça Benedito Calixto. E todas essas diferenças se integram, criando o jeito único de ser da cidade."

Judith Adler Rosenhek, proprietária da L'Oeil

Casarão na Avenida Paulista

215

" Ser filho de São Paulo é a mesma coisa que ser filho de uma puta. Ela dá para todo mundo, a gente se envergonha de muitas coisas dela, mas mesmo assim a ama perdidamente. São Paulo tem a capacidade de misturar gregos e baianos e fazer com que, nela, todos confraternizem. Um exemplo para a humanidade.
Um lugar imperdível é o Aeroporto de Guarulhos (mas com a passagem de volta no bolso...). "

Júlio Medaglia, maestro

216

" São Paulo, cidade do trabalho e das oportunidades para pessoas empreendedoras.
A cidade tem uma diversidade de culturas convivendo em harmonia. Isso é único e é a cara de São Paulo.
Recomendo a melhor pizza e o melhor chope de São Paulo: Pizzaria Braz, em Moema. "

Julio Okubo, empresário

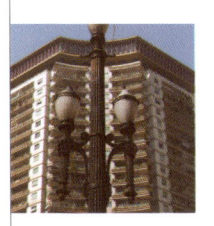

217

" Gosto de São Paulo por ser uma cidade pluricultural, com (provavelmente) a melhor noite do mundo.
Apesar de ser uma metrópole igual a NY, Londres, Tóquio ou LA, São Paulo se diferencia por ter o brasileiro, um povo amistoso, quente e extrovertido. "

Jun Sakamoto, chefe-proprietário do restaurante Jun Sakamoto

218

" É a cidade que mais se parece com NY no mundo.
Energia, sinergia, modernidade, megaoportunidades, megaproblemas, primeiro e terceiro mundo tudo junto. Momentos poéticos da cidade: gente lavando calçada, ouvir os passarinhos, o sossego no trânsito, domingos de manhã, garoa na madrugada, o beautiful people nos restaurantes à noite. "

Katia Zero, escritora

Edifício do Banespa

219

"Cheguei do Japão com 9 anos para fugir da Segunda Guerra Mundial. Trabalhei no interior e vim para São Paulo estudar. Criei raízes aqui, é minha casa, onde estão minha família, meus amigos, meus discípulos. Gosto muito de restaurantes japoneses, em especial do Suntory. E adoro também churrascarias, como a Ponteio. Lá parece um sítio."

Kokei Uehara, professor emérito da Escola Politécnica da USP e Cidadão Paulistano

220

"São Paulo tem vida, movimento e inspira crescimento. São Paulo tem violência, problemas e insegurança. Apesar de tudo, São Paulo é São Paulo e isso motiva, empurra e gera oportunidades.
Há detalhes que fazem a diferença desta cidade. Assim, não podemos deixar de conhecer no mínimo 20 excelentes restaurantes, a missa do Colégio de São Bento com o canto gregoriano, passear pelo Centro olhando para cima e vendo a arquitetura que se esconde atrás de placas e anúncios, andar de bicicleta pelos Jardins... Enfim, buscar os detalhes e não aquilo que todos conhecem."

Laércio Cosentino, presidente do Grupo Microsiga

221

"São Paulo é como uma cidade do interior, me sinto em casa. Meus amigos estão aqui. Um lugar que recomendo na cidade é o Parque da Água Branca, sábado pela manhã."

Laís Bodanzky, cineasta

222

"Nasci em São Paulo e é onde me sinto em casa.
Conheço mais de 50 países e posso dizer que São Paulo é uma cidade completamente internacional, que não deve nada a nenhuma outra do mundo.
Minha vida é ir a restaurantes. Adoro o Fasano, onde gosto muito dos pratos preparados com tartufos brancos, da costela de vitelos e do risoto zafferano. Adoro também andar, passear e tomar um café na Rua Oscar Freire. É um bulevar muito charmoso, uma rua de fantasia, um outro planeta dentro de São Paulo."

Lalo Zanini, empresário gastronômico, proprietário do Bistrô, Bistrot

223

" São Paulo para mim é como uma grande mãe capaz de amar a todos os seus filhos. Minha mãe teve 5 filhos com temperamentos diferentes e ela amou a todos intensamente. Aqui vem gente de todo lugar com sonhos diferentes, e sempre tem lugar para mais um. "

Lamartine Posella, pastor e ex-deputado federal

224

" Não sei se a nossa São Paulo tem algo que outras cidades do mundo não têm. O fato é que São Paulo tem força de trabalho, vocação de progresso, sentido de irmandade. Tem problemas resultantes do seu próprio crescimento explosivo. Todavia, problemas que o tempo irá solucionando. Acima de tudo, São Paulo tem o nosso amor. "

Laudo Natel, ex-governador do Estado de São Paulo

225

" Gosto de São Paulo porque é uma cidade vibrante, pulsante, efervescente, uma cidade taquicárdica onde as horas não cabem no dia e onde mesmo parado se está correndo. Adrenalina pura.
Um programa imperdível é um almoço no Parigi com amigos. "

Lawrence Pih, presidente da Moinho Pacífico

226

" Aprecio São Paulo por seu atributo principal, que é o de sintetizar e, por isso, conviver naturalmente com os significados do esforço coletivo em torno do trabalho. Por qualquer ângulo de visão de seus prédios, fachadas, construções, ruas e avenidas, o que se percebe são símbolos que valorizam a importância da criação de novas oportunidades de crescimento. Esse ambiente, construído em 450 anos de história, resulta no favorecimento dos indicadores de desenvolvimento individual das pessoas. Essa pujança é extraordinária, em todos os sentidos. "

Lázaro de Mello Brandão, presidente do Conselho de Administração do Bradesco

227

" *São Paulo é um estado de espírito universal. É um espaço onde se trabalha, estuda, pesquisa, canta, dança, pinta, comercializa de tudo e se liga no mundo todo.* "

Lea Della Casa Mingione, vice-presidente do GRAACC/IOP

228

" *Alguém muito brilhante já disse que São Paulo não tem inconsciente colonial. A Bahia e Minas têm a tradição do Barroco, o Rio, a do Machado de Assis... Sem esse passado, São Paulo fica disponível para vanguardas e sínteses culturais. Por isso é tão interessante! Em São Paulo podemos ver uma retrospectiva de cinema francês como a do Top Cine. O que torna algo tão miraculoso quanto rever O Desprezo de Godard com Brigitte Bardot... uma coisa normal!* "

Leda Tenório da Motta, crítica literária e professora do Programa de Pós-Graduação em Comunicação e Semiótica da PUC-SP

229

" *Panacéia para todas as saudades. O encontro de culturas regido por ciclos econômicos. Uma síntese viva e dinâmica de todas as correntes humanas ao longo de quase cinco séculos de história. Seja na origem dos povos que para cá vieram 'fazer a América', seja no perfil urbano afetado pelos ciclos de progresso e crise econômica. A conseqüência negativa é o pouco sentido da memória. A herança positiva é a dinâmica regeneradora do meio e a assimilação sem conflitos das raízes culturais pelo ser paulistano.* "

Leon Cakoff, criador e diretor da Mostra Internacional de Cinema

230

" *São Paulo é uma mistura de gente. Talvez por isso o paulistano seja tão cosmopolita e acolhedor, independentemente da cultura, religião e forma de ser das pessoas. Para quem ainda não conhece, recomendo um passeio no Mercado Municipal. É um lugar despojado, onde as pessoas vêm de bermuda e chinelo, sentem-se como se estivessem no quintal de casa.* "

Leonardo Chiappetta, sócio do Empório Chiappetta, aberto em 1908 e que funciona desde 1933 no Mercado Municipal

231

❝ É a melhor cidade para trabalhar e está próxima à montanha (Campos do Jordão) e às praias.
Programas imperdíveis: o rodízio no Fogo de Chão e um passeio de quadriciclo na Serra da Cantareira. ❞

Leonardo Senna, empresário

232

❝ Existe em São Paulo o caldeamento de raças, de credo, de religiões, de culturas. É uma cidade internacional como nenhuma outra no mundo. Tem uma anarquia construtiva que a mantém sempre em ebulição.
São Paulo é tão grande que não cabe no nosso olhar, só no nosso coração.
Adoro comer numa noite de frio nos restaurantes da Aldeia de Carapicuíba. O cheiro do forno e o tipo de calor que ele produz me lembram muito minha infância em uma pequena roça no interior de Minas Gerais. Como isso pode acontecer em uma cidade tão grande como São Paulo? ❞

Lima Duarte, ator

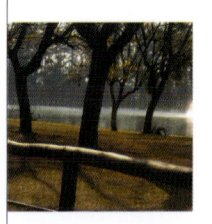

233

❝ Não se gosta de São Paulo de cara. Leva-se um tempo para compreender esta cidade temperamental. De repente, você se dá conta de que está completamente envolvido e apaixonado.
A confusão visual que se tem à primeira impressão, aos poucos, mostra-se elegante e até poética. ❞

Lino Villaventura, estilista

234

❝ Mudei para São Paulo em 1942, quando tinha 13 anos. Hoje amo muito a cidade, é a minha casa. Sempre que saio daqui, quando o avião vai chegando de volta, dá uma coisa no coração. Um orgulho imenso.
Quando olho a Avenida Paulista, vejo alegria, gente e muito movimento. Sou urbana e adoro isso. Em compensação, quando passo pela Avenida Brasil, tenho saudades de 50 anos atrás, quando os casarios dominavam a cidade. ❞

Lolita Rodrigues, atriz

235

" São Paulo é um fumegante caldeirão de múltiplas culturas, que aprende cotidianamente a conviver com suas contradições e diferenças. Sugiro começar a semana com a boa música do Theatro Municipal ou encher os olhos e o coração com uma noite do Balé da Cidade no palco deste teatro, que sempre será da cidade. "

Lucia Camargo, diretora artística do Theatro Municipal

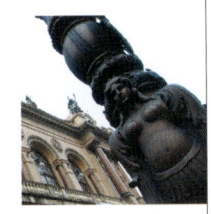

236

" Gosto de São Paulo pela coexistência de diversos mundos. Aqui temos anonimato, distâncias geográficas imensas e pizza. Um programa imperdível é um chorinho aos sábados na Praça Benedito Calixto. "

Luciana Guimarães, diretora de projetos do Instituto Sou da Paz

237

" Gosto de São Paulo pela sua contagiante atmosfera cultural, ao mesmo tempo conservadora e revolucionária, bem representada pela Faculdade de Direito do Largo de São Francisco.
Recomendo caminhar logo de manhã, bem cedinho, no Parque da Água Branca, santuário ecológico situado no coração de São Paulo, ao lado de árvores centenárias, museus, casarões normandos e animais domésticos. "

Luciano Amaral, advogado

238

" São Paulo consegue reunir a modernidade de uma megalópole com as características bucólicas de um vilarejo. Parques e jardins contrastam com o concreto e as grandes estruturas, dando um charme todo especial para quem observa.
Aqui tudo pode ser feito, tudo pode ser encontrado: teatro, cinemas, monumentos e, ao mesmo tempo, shoppings e grandes lojas. Apesar de parecer uma cidade fria, existe um calor humano que une todos nós, nos bares, nos restaurantes, nos eventos e até em uma simples caminhada. "

Lucília Diniz, empresária e consultora light/diet do grupo Pão de Açúcar

Edifício no Largo do Paiçandu

239

" Nós, paulistanos, estamos habituados a criticar a cidade e lamentar seus defeitos, poluição e tráfego infernal, buracos e violência, e dela fugir correndo nos feriados prolongados, para o mar ou para a montanha. Mas para ela acabamos voltando, nela acabamos permanecendo. Eu, por exemplo, estou há 55 anos. Será que sem saber estamos presos, acorrentados à sua natureza de concreto? Será que não há alternativa melhor? Por certo existem alternativas, mas, como em My Fair Lady, talvez tenhamos nos acostumados ao seu olhar. Acostumados, entretanto, acabamos cegos, só voltando a ver depois de descansar os olhos em outras plagas, como me ocorreu numa ocasião, voltando de Cumbica e de uma China de cores pastel, subitamente deslumbrado com o verde exuberante e quase escandaloso da vegetação que cresce nos barrancos da 23 de Maio.
Se você conseguir um pequeno veleiro em Guarapiranga, no fim do outono, veleje a tarde toda e, ao anoitecer, quando o vento diminui, pare no meio da represa e observe o dia indo embora, as estrelas chegando. O lago é cercado por uma fina camada de vegetação e do barco se tem a nítida impressão de que não há uma cidade por detrás, só floresta. É uma ilusão, como tantas que a cidade apresenta, mas é magnífica. "

Lucio Mario Nicolosi, diretor da Philippe de Lyon – Homeopatia

240

" Vim para São Paulo para melhorar de vida. Em Portugal, trabalhava na roça. Foram 13 dias de viagem no navio e eu não tinha idéia do que encontraria. Gostei da cidade, trabalhei muito. Cheguei com 6 cruzeiros no bolso e a dívida da viagem. Levei 7 anos para pagar a passagem. Hoje tenho emprego, uma casa, uma família. Tudo o que tenho consegui em São Paulo. "

Luís Nunes Pedro, português, gerente do Bar e Restaurante Ita, que funciona desde 1953 na Rua do Boticário

241

" São Paulo tem tudo o que as outras cidades não têm e gostariam de ter, e tem tudo o que as outras cidades não gostariam de ter e não têm. "

Luisa Malzoni Strina, proprietária da Galeria Luisa Strina

Feira da Liberdade

242

"*Adoro São Paulo. Cheguei aqui aos 13 anos, vindo do interior. Foi um desbunde! Guitarra elétrica, Mutantes, Tropicália. Tudo me fascinou. Sou muito observador. Gosto de caminhar pela cidade de dia e dirigir à noite. A cada quebrada, descubro um novo espaço. Atrás de cada portinha, um paraíso.*"

Luiz Calanca, *gerente da Baratos Afins, loja que funciona na Galeria do Rock há 25 anos*

243

"*São Paulo é motivo de orgulho, sinônimo de pujança, e no planeta só é menor que Tóquio e Seul. Recomendo uma visita ao Metrô de São Paulo, que é um exemplo para as grandes metrópoles.*"

Luiz Carlos Frayze David, *presidente do Metrô de São Paulo*

244

"*Adoro a variedade que São Paulo oferece: é a cidade das opções para os mais diversos estilos e momentos. Não tem como enjoar. Uma opção irresistível da cidade é o Palácio dos Campos Elíseos, que está muito bem conservado pelo governo estadual. Adoro apreciar sua suntuosidade: seu jardim magnífico, assoalhos de marchetaria, as peças raras e preciosas... É um lugar onde a beleza impera de forma única e especial.*"

Luiz Cláudio Began, *proprietário da Began Antiguidades*

245

"*São Paulo é uma questão de costume, de vício. Você se habitua tanto com o trânsito, com tudo, que quando sai daqui acha tudo devagar. É difícil se adaptar a outro lugar depois de viver aqui.*"

Luiz D'Urso Filho, *comerciante da Rua São Caetano*

Masp

246

" Cheguei a São Paulo em março de 1986 em busca de realização profissional. Venci e adotei-a como minha cidade. Aqui as coisas fluem e encontramos qualidade de serviços e oportunidades. É o pulsar do Brasil. E é 'maior' que muitos países da América Latina. Além de alguns locais imperdíveis, como o Parque do Ibirapuera, o Masp e a Pinacoteca, recomendo uma visita às grandes livrarias da cidade, como a Fnac e a Saraiva Megastore, que têm uma diversidade e norme de produtos. "

Luiz Fernando Azevedo Resende, diretor-presidente da LatinFinance

247

" Higienópolis dá uma pequena idéia da beleza de São Paulo. O bairro mistura tradição com modernidade. Por exemplo, o glamour da Praça Vilaboim contrasta com as lojas e os restaurantes da moda. Embora com muitos prédios residenciais e de serviços, é um lugar onde o verde também se faz presente. Higienópolis é realmente apaixonante. "

Luiz Fernando Vendramini Fleury, diretor-presidente do Banco ibi

248

" São Paulo não é uma cidade, é uma energia.
A verdadeira São Paulo está nos prédios antigos, perdidos no Centro. Recomendo um passeio a pé pela Praça da Sé, Pátio do Colégio, Estação da Luz, Parque Dom Pedro. E descer a Rua 25 de Março é entrar no olho do furacão: ali se sente o povo. "

Luiz Gomes Tenente, antiquário, expositor da Praça Benedito Calixto e da Feira de Antiguidades do Masp

249

" Em São Paulo não há muito tempo para questões pessoais, para rixas entre grupos. Todo mundo é absorvido pelo trabalho e encontra espaço para desenvolver seus projetos.
Um passeio pela Cidade Universitária é imperdível. É mais agradável que o Parque Ibirapuera por estar longe do Centro e do trânsito nervoso. Tem vegetação, museus, onde praticar esportes, escolas e os estudantes. É um local vivo. "

Luiz Tatit, músico e professor do Departamento de Lingüística da USP

Pinacoteca do Estado

250

“ São Paulo é onde nasci e cresci. É minha casa, minha cidade. É onde me encontro. Adoro o La Casserole, um restaurante no meio das lindas bancas de flores do Largo do Arouche. ”

Luiz Villaça, cineasta

251

“ A cidade é dinâmica e sua noite é fantástica. Em São Paulo concentra-se a oportunidade do business. Às vezes penso em mudar daqui por causa da violência e para melhorar a qualidade de vida dos meus filhos, mas não posso me afastar dos negócios e não conseguiria viver sem a noite da cidade. ”

Lupércio de Moraes, empresário, sócio-diretor do Fran's Café

252

“ Podemos estar em todas as partes do mundo nesta cidade. Temos os melhores restaurantes, teatros, shows e cinemas. São Paulo tem muito trabalho durante o dia e diversão para todos os gostos à noite. ”

Magic Paula, ex-jogadora de basquete

253

“ Gosto de São Paulo porque a cidade me oferece as melhores condições para o exercício de minha profissão. No conjunto, São Paulo é imbatível em lazer, educação, cultura e saúde.
Gosto muito de passear no Parque do Ibirapuera e das apresentações de música clássica na Sala São Paulo. ”

Mailson da Nóbrega, ex-ministro da Fazenda, sócio da Tendências Consultoria Integrada

254

“ Em São Paulo gosto de coisas simples, como andar pelas ruas, entrar numa livraria e tomar um café. Adoro ir aos restaurantes, às bancas, aos cinemas e teatros e sentir um pouco de frio. ”

Malu Mader, atriz

Catedral Metropolitana da Sé

255

"Como gosto de São Paulo! Por pior que esteja a sua casa, é a sua casa. Boi em terra estranha é vaca. Minha raiz está em São Paulo e no Hospital das Clínicas: no HC conheci minha patroa, nasceram meus filhos e netos e é onde meus filhos também trabalham. Aqui no hospital, até as pedras me conhecem."

Manoel Fabiano, coordenador da Divisão de Construção e Conservação do Hospital das Clínicas – FMUSP, onde trabalha há 52 anos

256

"São Paulo tem a capacidade de amalgamar culturas, raças e civilizações em paz, como em nenhum outro lugar do mundo. O traço comum a qualquer grande metrópole é, nos dias de hoje, a violência: Nova York ficou marcada pelo terrorismo, há violência em Frankfurt, há medo em Londres, em Paris, em Los Angeles. São Paulo não foge à regra da luta constante contra a criminalidade e a violência, porém não germinaram aqui as sementes do ódio racial, do ódio religioso ou do terrorismo que hoje cobram um preço altíssimo às maiores metrópoles ocidentais. Isso somente se explica pelo espírito único que floresceu nesta cidade, com a tolerância mútua, a capacidade de cada cidadão olhar seu dessemelhante como um semelhante."

Manoel Felix Cintra Neto, presidente da BM&F

257

"Gosto de São Paulo porque é a minha cidade, uma metrópole plural por onde transitam e convivem todos os credos, etnias e estratos sociais – e, fundamental, em paz e harmonia. A vida cultural da cidade é riquíssima. Um roteiro obrigatório inclui uma visita ao Museu de Arte de São Paulo (Masp), à Pinacoteca do Estado, passando pela Fundação Maria Luisa e Oscar Americano e pelo Parque do Ibirapuera, onde estão localizadas a Fundação Bienal de São Paulo, o Museu de Arte Moderna e a Oca, que é administrada pela BrasilConnect. Os três espaços são de grande importância para a divulgação da arte brasileira e internacional."

Manoel Francisco Pires da Costa, presidente da Fundação Bienal de São Paulo

258

"Viver em São Paulo é um privilégio. Adoro a agitação que começa antes do amanhecer, transmitindo-nos uma euforia que se prolonga até a noite."

Mara O. de Campos Siaulys, presidente da Laramara (Associação Brasileira de Assistência ao Deficiente Visual)

259

"*O que temos que outras cidades não têm? A astúcia de fugir da monotonia. Gosto de São Paulo por causa das várias opções que apenas uma cidade que não dorme pode me oferecer. Sugiro um happy hour no Botequim do Hugo, no Itaim Bibi, que tem o melhor pastel de palmito da cidade, seguido de uma sessão de cinema na sala 5 do Espaço Unibanco, com capacidade para apenas 51 pessoas.*"

Marcelo Mello, proprietário do Bar Porto Luna

260

"*Um programa bem paulistano é ir ao cinema e depois jantar no Spot ou no Gero. Ou então comer pastel com caldo de cana na feira, especialmente a da Inácio Pereira da Rocha, em Pinheiros, aos sábados. Não há nada mais paulistano.*"

Marcelo Noschese, diretor da Louis Vuitton para o Brasil

261

"*Gosto de São Paulo porque é o lugar onde nasci e onde moram as pessoas que eu amo. Recomendo tomar um caju amigo no Pandoro e almoçar no Almanara da Praça da República, lugares que ainda mantêm a decoração original.*"

Marcelo Sommer, estilista

262

"*Não sei por que gosto de São Paulo. Deve ser porque gosto de morar no meio de gente esquisita como eu que também ama esta cidade. São Paulo é como uma mulher madura e inquieta. Um dia se sente feia, no outro bonita, mas está sempre segura da sua inteligência e poder de sedução. Não tem que se esforçar para ser outra coisa, como Curitiba, Porto Alegre, Belo Horizonte... Nem sofrer com a decadência física e moral, como acontece com o Rio de Janeiro e as meninas muito lindas que sabem que, com o tempo, tudo tende a desabar.*"

Marcelo Tas, apresentador e diretor da TV Cultura de São Paulo

263

❝ *Sou escritora, então a cidade é meu campo de ação, minha via-crúcis, meu altar de sacrifícios, e por mais paradoxal que pareça, ela é meu refúgio e meu esconderijo, minha entidade mais secreta. E também mais pública. Desde tempos imemoriais, a cidade é um símbolo feminino, é uma mulher, então compreende-se por que as estátuas de deusas-mãe ostentam coroas em forma de muros, como a Diana de Éfeso. Assim, minha personagem Diana Marini é a representação de São Paulo. Na novela Welcome to Diana ela dá boas-vindas ao leitor (em inglês, posto ser cosmopolita), seu lema é seduzi-lo – para melhor devorá-lo!*

Assim como eu, como toda mulher, esta cidade não se entrega sem mais aquela, a exemplo das suas rivais marítimas, Rio e Salvador, expostas à orla, à fuga por mar, porque São Paulo tem seu centro, seu cordão umbilical na Praça da Sé, no centro da vertigem urbana, um desenredar de ruas que é puro caos ao estranho, não fosse ela simultaneamente virgem e prostituta, detentora do segredo de auto-renovar-se eternamente.

É verdade que a partir da década de 60 este centro se deslocou do Marco Zero para a Avenida Paulista, mas isso é pura geografia e representação do nosso espírito de época (zeitgeist), mera historiografia. Porque no fato de o centro da voragem continuar lá, na Praça da Sé, neste centro (do quê? do quê?) estúpido, inconsciente e arbitrário, e talvez por isso, preservando-se mais oculto e misterioso, está a chave do seu enigma – jamais decifrado – para te devorar eternamente. ❞

Márcia Denser, escritora

264

❝ *Sou um paulistano típico. Nasci a cem metros da Praça da Sé e tive uma visão privilegiada sobre a cidade, pois cresci no então principal centro comercial e bancário da cidade. Era um redemoinho de pessoas, bondes e ônibus. Percebi desde cedo a diversidade racial, étnica e a mistura de sotaques, que mais tarde se tornariam a marca registrada da metrópole. Senti também a receptividade dos paulistas em receber a cultura de outros povos. Da soma dessa convivência ganhei valores que ficaram comigo para sempre. Aquele ambiente personificava responsabilidade, negociação e perseverança, valores que ajudaram a construir a posição de vanguarda econômica da cidade. Isso foi fundamental, depois, para que minha vida profissional tomasse o rumo que tomou. Devo tudo a São Paulo e a seu espírito vibrante, aberto ao novo e à modernidade. Realmente, nada lhe é comparável.* ❞

Márcio Cypriano, diretor-presidente do Bradesco

Theatro Municipal

265

" São Paulo e Nova York são minhas cidades preferidas. Tenho uma vida agitada, trabalho mais de 14 horas por dia. Por isso, fujo de lugares badalados. E não abro mão de: uma caminhada no Parque da Água Branca, quando renovo minhas energias e meus pulmões; um passeio na Avenida Paulista aos domingos, quando visito a feira de artesanato em frente ao Parque Trianon, descubro novos talentos da artes e até arrisco um jogo de tarô com a Dona Jô, que normalmente me dá dicas ótimas; a Livraria Cultura do Shopping Villa-Lobos, onde passo horas tomando um capuccino e lendo uma pilha de livros; despertar tomando um expresso no Pão de Queijo da Haddock Lobo; ir ao Roma, restaurante que freqüento há mais de 20 anos e onde me sinto na sala de casa; a banca da jornal da Praça Vilaboim, em Higienópolis, onde compro revistas do mundo todo. "

Marco Antônio de Biaggi, cabeleireiro, proprietário do MG Hair Design e da marca de produtos Basic Hair

266

" Recomendo uma visita atenta e prolongada ao Centro. Nele há esplêndidos edifícios e monumentos, um cenário urbano surpreendente e uma vitalidade talvez sem paralelo em qualquer outra cidade do mundo. Ali se encontram as sedes das bolsas de valores e de mercados futuros, bairros étnicos onde você encontra o melhor da culinária italiana, árabe, judaica e oriental, o maior acervo de edificações históricas e os mais altos edifícios da cidade, equipamentos culturais notáveis, ruas de comércio diferenciado, templos de muitas religiões e alguns dos melhores restaurantes, bares e hotéis de São Paulo. Tudo freqüentado diariamente por mais de 2 milhões de pessoas e, na maior parte, acessível por metrô. "

Marco Antonio Ramos de Almeida, engenheiro civil, presidente da Diretoria Executiva da Associação Viva o Centro e diretor de Relações Institucionais do BankBoston

267

" São Paulo é a síntese do Brasil: enorme, pujante, pobre e rica ao mesmo tempo, feia e bonita, mas sempre grandiosa.
Um programa que recomendo é a feira da Praça Benedito Calixto aos sábados pela manhã: clima jovial, peças modernas e antiquários tradicionais, comidas aceitáveis e conversas inesperadas. "

Marcos Cintra, professor titular e vice-presidente da Fundação Getúlio Vargas

Mercado Municipal

Theatro Municipal

Feira da Liberdade

Mercado Municipal

Feira da Praça Benedito Calixto

268

" *São Paulo é a cidade de meus pais, avós e bisavós. Em São Paulo, estou em casa. A cidade é pujante e o paulistano tem garra. Não há outra cidade no mundo com tantas alternativas gastronômicas, todas adaptadas ao nosso paladar.* "

Marcos de Souza Barros, diretor-presidente da Souza Barros C.T. S/A

269

" *É um momento fugidio. Síntese de história, estória e savoir-vivre. Mas é quase diário. Só quando nuvens escuras teimam em manchar o nascer do sol, não se é brindado com essa emoção. É lá no Parque Ibirapuera, local de nossa catarse coletiva. É um momento bem definido no tempo e no espaço, que permite, de um ângulo único, num primeiro plano, um chorão, derramando-se à beira do lago. Que em muitas manhãs esfumaça para afastar a noite. Do lago para o horizonte, onde surge o sol, passa-se pela silhueta esguia do Obelisco, a lembrar-nos a história. Depois o recorte dos prédios à contraluz para falar das estórias de quem faz essa cidade. E lá ao fim, fundindo-se com o horizonte, o nascer do sol, se possível, com pitadas de nuvens dispersas para criar um colorido único. O momento é mágico, mas o tempo altera-se dependendo das estações. Seu êxtase ocorre em maio, às 6h45 da manhã. Uma questão de savoir-vivre.* "

Marcos Gouvêa, consultor e empresário por opção, paulistano por paixão

270

" *O espírito da cidade já está enraizado em mim. A coisa de que mais gosto é cair para o litoral no fim de semana, mas assumo que adoro chegar de volta a São Paulo! É uma cidade que tem meu ritmo frenético de vida, supre minhas necessidades culturais, me consola nos momentos de carência, me oferece tudo de que preciso!* "

Marcos Mion, ator e apresentador de TV

271

" *Gosto de São Paulo porque aqui tenho minhas raízes mais profundas e importantes. Um lugar que recomendo é a Pinacoteca, o mais lindo museu do Brasil.* "

Maria Adelaide Amaral, escritora

272

"Gosto de São Paulo por causa da mistura de pessoas. A cidade é generosa, recebe de braços abertos pessoas de todo o mundo. E a história do Brasil e do mundo passa por São Paulo justamente por causa das pessoas. Um programa imperdível é passear por todas as barracas do Mercado Municipal e parar para comer um pastel de bacalhau, que é especial. Adoro também ficar observando as pessoas na Pinacoteca e passear pelo Centro, onde a cidade nasceu."

Maria Cristina Poli, jornalista

273

"São Paulo é a síntese das grandes cidades do mundo. Pulsa dia e noite. É um emaranhado de contrastes que desafia a todo instante. Generosa e exigente, oferece todas as oportunidades. São Paulo é promessa de futuro e esperança. Representa a VIDA em todas as nuances.
Recomendo a descoberta do bairro. Higienópolis, por exemplo, onde moro há mais de 20 anos. Uma caminhada pelas ruas arborizadas, margeadas por belos prédios e ainda alguns velhos casarões, com parada obrigatória para uma água de coco gelada no sombreado Parque Buenos Aires. Se houver tempo de sobra, uma esticada até a charmosa Praça Vilaboim, com lojas elegantes, livraria, café, bares e restaurantes com mesas nas calçadas, oportunidade para um gostoso papo ou simplesmente para relaxar."

Maria Lydia, jornalista, âncora do Jornal da Gazeta (TV Gazeta/São Paulo)

274

"Gosto de São Paulo por causa de suas contradições. Sair para se divertir com árabes e judeus e jantar num restaurante francês e saber que o chefe é um baiano. Curtir suas luzes refletindo no asfalto e, por fim, se perder na Liberdade.
Adoro ir à Sala São Paulo. Além de ser uma sala de concerto tão completa, tem uma das orquestras sinfônicas mais competentes do mundo. Definitivamente, um orgulho paulistano."

Mariana Ximenes, atriz

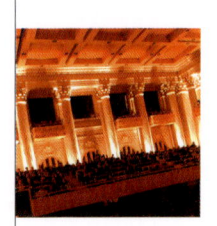

275

"Pelas opções que a cidade nos oferece, São Paulo está entre as melhores do mundo. Temos qualidade e nível no cinema, nas exposições, nos concertos, museus, restaurantes, teatros...
É imperdível, no domingo, um brunch ou à tarde tomar uma taça de vinho com os amigos no Empório Santa Maria da Cidade Jardim."

Mariangela Bordon, presidente da empresa OX Cosméticos

276

" São Paulo, paradoxalmente, é a cidade onde tenho minhas raízes, onde encontro minhas memórias, onde ainda passeio criança, de mãos dadas com meu pai, apesar de ser agora uma megalópole, em constante transformação – é a cidade da minha infância. "

Marília de Andrade, coreógrafa

277

" Para mim, São Paulo representa progresso. As vezes em que passei temporadas na cidade, progredi artisticamente, e isso me trouxe resultados profissionais importantes. Existe a sensação de estar, ao mesmo tempo, no Brasil ou em qualquer outro grande centro mundial.
Um almoço no Spot. Acho esse lugar a cara de São Paulo: boa comida, ambiente atraente com gente descolada. "

Marina Lima, cantora e compositora

278

" Um lado bom: uma cidade que pode ser bastante generosa com os imigrantes. Há vários lugares imperdíveis! Recomendo explorar o Centro, a Liberdade, lugares não-convencionais. "

Marina Person, VJ

279

" São Paulo tem diversidade, pitadas de muitas cidades, sotaques, culturas e misturas que oferecem de tudo um pouco: do melhor e do pior. Mas eu, apaixonada que sou, prefiro focar o melhor.
Passear no domingo a pé pela Avenida Paulista comendo pipoca: ato de cumplicidade e tolerância da cidade para com esta filha rebelde. "

Marinês Rodrigues, paulistana, superintendente de programação da TV Gazeta

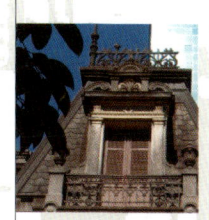

280

" *São Paulo é uma cidade aberta para o mundo. São Paulo é inovadora, multirracial, não tem discriminação. São Paulo é o mundo representado em suas diversas etnias e culturas. São Paulo é trabalho, cultura, diversão. São Paulo é São Paulo.* "

Mario Bandeira, presidente da CPTM (Companhia Paulista de Trens Metropolitanos)

281

" *São Paulo é o coração do Brasil, é a terra-mãe do Corinthians e minha terra natal. Ela pulsa 24 horas. Aqui não há tédio. É a cidade onde você se sente cidadão do mundo. Aqui você encontra a maior diversidade cultural do Brasil, com comunidades de japoneses, chineses, portugueses, americanos, italianos, judeus, russos, sírios etc. E o interessante é que todas falam a mesma 'língua'.* "

Mário Barbosa, presidente da Bunge Fertilizantes

282

" *Gosto de São Paulo porque é o cadinho socioeconômico-cultural-gastronômico-étnico mais rico do Hemisfério Sul. Uma terra de contrastes, onde as Mercedes-Benz dos Jardins misturam-se aos pedintes dos faróis, onde convivem restaurantes de classe mundial com pastel de feira, pichações horrendas com arte européia, o pior tráfego do planeta com a maior frota de ônibus, a violência insana com a solidariedade dos movimentos sociais, a opulência arquitetônica dos edifícios e a precariedade dos barracos sob os viadutos. Enfim, uma terra autêntica.* "

Mário César de Camargo, presidente da ABIGRAF Brasil

283

" *São Paulo tem três magníficas estações ferroviárias, verdadeiros monumentos: Luz (da antiga São Paulo Railway), Júlio Prestes (da saudosa Sorocabana) e Roosevelt ou estação do norte (da finada Central do Brasil). Imperdível é um concerto na Sala São Paulo, seguido de uma espiadinha nas plataformas apinhadas da Júlio Prestes e engraxar os sapatos, sábado de manhã, na Luz, acompanhando o vaivém frenético dos passageiros dos subúrbios.* "

Mário Eugênio Simões Onofre, diretor de marketing do Senai-SP e do Sesi-SP

284

" Para mim, São Paulo representa oportunidade, desenvolvimento e vibração. Foi aqui que, sempre muito bem recebido, construí minha vida profissional, após ter começado os alicerces no Rio. São Paulo tem um clima de agitação construtiva, profissional, comercial e cultural só encontrado nas grandes capitais mundiais, como Nova York, Londres e poucas outras. "

Mario Fleck, presidente da Accenture do Brasil

285

" São Paulo me oferece tudo de que preciso ou desejo, 24 horas por dia, sete dias por semana. Há uma diversidade gastronômica, uma riqueza de manifestações culturais e um leque amplo de opções em escolas para minhas filhas.
São Paulo é violenta, perigosa e congestionada. Porém, apaixonante!!! "

Mário Sérgio Luz Moreira, diretor-presidente da rede de academias Runner

286

" São Paulo tem tudo. É a Nova York brasileira. Programas imperdíveis: todo mês, no dia 29, ir ao Restaurante Quattrino para comer o nhoque da sorte; ir à Sala São Paulo (dá gosto depois da reforma); e fazer caminhadas no Parque do Ibirapuera. "

Mary Nigri, publicitária e proprietária dos restaurantes Quattrino e Ecco

287

" Gosto daqui pela mescla gostosa e saborosa dos seus imigrantes e descendentes que tornaram a gastronomia de São Paulo colorida, rica e importante.
A força de sua gente, a agilidade e a ousadia nas suas mudanças e a rapidez nas decisões, tudo com malícia e charme, fazem da cidade a única no mundo.
Recomendo uma visita ao Mercado Central da Cantareira, o famoso Mercadão, a melhor vitrine gastronômica da cidade de São Paulo. "

Massimo Ferrari, diretor do Restaurante Massimo

Viaduto Santa Efigênia

288

"Sou paulistano e, apesar de não viver há anos em São Paulo, tenho o maior prazer em voltar sempre à cidade porque as pessoas que mais amo moram aqui.
É imperdível fazer um tour pelos teatros de São Paulo. Os maiores diretores, com obras antagônicas mas complementares, estão na cidade. Sugiro qualquer peça do Zé Celso Martinez no Teatro Oficina, sempre com um elenco sui generis que tem uma maneira especial de encarar o teatro e a cultura brasileira e do mundo. O Antunes Filho, com o Centro de Pesquisa Teatral, e o Antônio Araújo, do Teatro da Vertigem, que está sempre invadindo algum espaço de São Paulo para encenar."

Matheus Nachtergaele, ator

289

"São Paulo é minha casa. É especial porque é a cidade que está em minha volta. Gosto muito de passear nos poucos locais de natureza, como o Parque do Ibirapuera e o Parque Villa-Lobos. E recomendo visitas aos inúmeros museus da cidade."

Mauricio de Sousa, desenhista

290

"São Paulo tem uma peculiaridade: aqui não há guetos. Em Nova York e Londres, por exemplo, cada um tem o seu lugar. Aqui não: todos vivemos juntos. Já viu alguma outra cidade em que judeus e mulçumanos convivem e são amigos? É uma cidade em que a gente almoça sushi e janta pizza. Foi São Paulo que acabou na prática com o racismo. É uma cidade que não admite preconceitos, é contra a sua própria história.
Programa imperdível? Assistir a um jogo do Palmeiras, mesmo na segunda divisão."

Maurício Ielo, jornalista

291

"São Paulo, em 450 anos, tornou-se a cidade mais movimentada nas artes e nas exposições internacionais e o principal pólo de negócios da América Latina."

Max Schrappe, presidente da Conlatingraf (Confederação Latino-Americana da Indústria Gráfica) e vice-presidente da Fiesp (Federação das Indústrias do Estado de São Paulo)

Feira da Praça Benedito Calixto

292

"Quem é de São Paulo sempre tem para onde voltar. Portanto, pode ir a qualquer lugar desse mundo afora. Sua bagunça é totalmente decifrável. Um bom programa é ir (e voltar) a pé ao Pandoro para tomar caju amigo e comer sanduíche de bife à milanesa."

Michel Todel Gorski, arquiteto

293

"Uma cidade sempre representa oportunidades na busca dos conhecimentos tecnológicos e humanitários. São Paulo possibilita agilidade de formação, crescimento, vivência, gerando oportunidades a todos e potencializando os dons que Deus deu ao ser humano. É uma cidade onde o povo sabe unir o trabalho com a alegria de viver! Pelo lado histórico, representa a tão intensa presença e influência dos jesuítas para o Brasil."

Pe. Mieczyslaw Smyda, SJ., diretor-geral do Colégio São Luís

294

"Baianos, cariocas, gaúchos: todos moram aqui.
A cidade tem um pouquinho de cada estrangeiro.
É mentira essa conversa de que paulistano é frio. São Paulo é calor humano."

Miguel Romano, proprietário da Casa Godinho, padaria e mercearia fundada em 1888

295

"Gosto de São Paulo por ser uma cidade cosmopolita. Há uma mistura de culturas e pessoas."

Milton Goldfarb, economista, diretor-presidente da Godfarb Comércio e Construções

Viaduto Santa Efigênia

296

❝ São Paulo tem uma característica ímpar: a diversidade gastronômica, que vai dos restaurantes típicos brasileiros de todas as regiões à comida internacional de todos os países, sem falar nos numerosos rodízios de carne da melhor qualidade e fartura e as mais de 5 mil pizzarias. ❞

Milton Luís F. Pereira, diretor de Desenvolvimento Humano da Serasa

297

❝ Gosto de São Paulo porque, profissionalmente, deu-me tudo o que Deus permitiu que eu tivesse. Obrigado, São Paulo, porque gratidão é a primeira virtude do homem e base de todas as demais. São Paulo é como Nova York. Lírica, isso em relação às demais capitais do Brasil. São Paulo tem o coração que comanda o país. ❞

Milton Neves, jornalista e publicitário

298

❝ São Paulo é uma cidade dinâmica, plural e eu me identifico muito com ela. Essa efervescência, essa vida que brota de cada esquina faz de São Paulo um lugar muito especial.
Gosto muito do Parque do Ibirapuera. É quase a síntese da cidade porque ali você pode fazer exercícios, visitar exposições, ver um pouco de verde e apreciar a vista da cidade. São Paulo tem ainda ótimos centros culturais e uma variada rota de cinemas e teatros. ❞

Milú Villela, presidente do MAM e do Itaú Cultural

299

❝ Apesar de todos os seus problemas, São Paulo é uma cidade com personalidade. Já morei em Viena, Praga, Londres, Paris e Rio de Janeiro, mas São Paulo tem um perfil próprio, talvez por causa de sua área geográfica gigantesca. Gosto muito de caminhar do Sumaré, bairro onde moro, até o Conjunto Nacional, onde fica a Livraria Cultura. Gosto também de caminhar pela Avenida Paulista. ❞

Modesto Carone, escritor, tradutor e professor de literatura

Feira da Praça Benedito Calixto

300

" *São Paulo tem uma magia, um mistério. Apesar de morar no Rio, sou apaixonada pela cidade, me sinto muito bem aqui. Sempre que posso, venho fazer uma visita e vou aos meus restaurantes preferidos, entre eles o Gero. Adoro o ravióli de mussarela de búfala com molho de tomate fresco e manjericão e também o mignon de vitela grelhada.* "

Mônica Torres, atriz

301

" *Gosto de São Paulo por sua diversidade, pela energia produtiva e criativa que emana de cada esquina, por sua capacidade de se reinventar sempre. E, acima de tudo, porque é possível ser anônimo na multidão – garantia de privacidade e, acima de tudo, de liberdade. A cidade tem novidade todo dia. Gente nova, lugares novos, projetos inéditos. Notícias e idéias. Opções. Um programa imperdível é tomar um drinque no bar do Terraço Itália numa noite de inverno.* "

Mônica Waldvogel, jornalista

302

" *É a cidade onde nasci e me criei. Sendo assim, tudo me é absolutamente familiar, minha casa, onde fico à vontade. Ao mesmo tempo São Paulo tem uma dimensão que não está ao alcance de seus habitantes. Sempre tive a sensação de que a cidade não me pertence. Recomendo um grande passeio que vai ocupar um bom tempo. Pode-se começar pelo Ibirapuera e pelo MAM, depois fazer uma caminhada pela Paulista e visitar a Casa das Rosas, o Instituto Itaú Cultural e o Masp. Não se pode perder uma volta na Liberdade e no Bixiga. O Centro da cidade todo, com a Catedral da Sé, o Theatro Municipal, o Viaduto do Chá e a Estação Júlio Prestes, a Estação da Luz, a Sala São Paulo (de preferência, assistindo a um concerto) e a Pinacoteca de Estado. Ficar à toa na Vila Madalena, no Sesc Pompéia, no Ceasa de manhã cedinho e na USP... E em parques como o Maria Luisa e Oscar Americano e o Villa-Lobos, e tantos outros lugares. Sem falar nos restaurantes, como Arábia, Buttina...* "

Ná Ozzetti, cantora e compositora

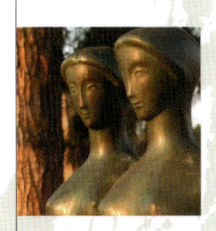

Parque do Ibirapuera

303

" São Paulo é o meu hábitat. Ela tem diversidade cultural, urbanística e étnica. Um programa que recomendo é passear no Viaduto do Chá e subir no Edifício Martinelli. "

Nabil Bonduki, arquiteto e vereador

304

" Nasci no Cambuci, no coração de São Paulo. E nunca precisei modificar meu sotaque 'paulistês' para seguir minha carreira. Devo isso à cidade. "

Nair Bello, atriz

305

" São Paulo é a vida e o pulmão do nosso país.
Sem dúvida, São Paulo é uma das melhores cidades do mundo onde comer. Sempre que passo o dia trabalhando em São Paulo, tento passar no Gero da Haddock Lobo ou do Iguatemi para comer o risoto de funghi. "

Natan Kimelblat, presidente da Natan

306

" Gosto de São Paulo porque sou corintiano. São Paulo viu Jesus, ficou cego e depois escreveu duas Cartas aos Coríntios. Não nessa ordem, mas com essa simpatia.
O que só São Paulo tem? Carnaval vazio. Desce todo mundo.
Um programa imperdível é dar um rolê a pé no Centro Velho. Descer na Estação Sé do metrô e ir andando até o Arouche. Tem umas 10 opções de caminhos tonitruantes e maravilhosos. "

Nei Schimada, poeta e dekassegui

Pinacoteca do Estado

307

" Empunhei a bandeirola do quarto centenário, curti a banda domingueira no coreto de Santo Amaro onde brincava de pique, joguei bola e pedalei no Ibirapuera numa época em que crime ainda rendia manchete e eu freqüentava a várzea para assistir ao meu pai num tira-teima do futebol. A São Paulo colorida e vívida que conheci na infância cresceu como um monstro devorando as cores, os campinhos de pelada, as árvores, esperanças, os nomes dos vizinhos, as casas e estilos, o silêncio e os bosques, além do jeito espontâneo e despreocupado de quem aqui viveu. Dá para amar, sem ser hipócrita ou poliana, uma megalópole insana, violenta, ingovernável, o retrato em preto e branco de um país desequilibrado? "

Nelson Blecher, *jornalista e paulistano*

308

" São Paulo reúne um pouco de 'tudo de bom' de todas as melhores cidades. E isso vai da melhor pizza até a melhor Parada Gay do mundo. "

Nelson Matias Pereira, *coordenador político da Associação do Orgulho de Gays, Lésbicas, Bissexuais e Transgêneros de São Paulo*

309

" A grandeza da cidade não me assusta. Sua gente me surpreende. Suas opções e oportunidades me fascinam. "

Nildemar Secches, *presidente da Perdigão*

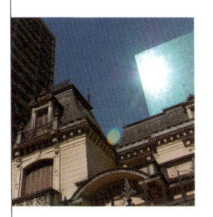

310

" É uma cidade que trabalha sério de dia e se diverte para valer de noite.
É a única cidade realmente rica do mundo cheia de brasileiros. Ela é por isso poderosa e divertida. Imperdível é jantar no La Casserole numa noite de frio. "

Nizan Guanaes, *publicitário*

311

" São Paulo tem a aura de magia e encantamento de uma criança aventureira. Vivi suas várias facetas e sinto muita falta da garoa que existia todas as tardes. Eu passeava todas as tardinhas com meu pai, eu de gorro, ele de chapéu. Lembro do quarto centenário. Na época tive a impressão de que a cidade tinha 40 anos. Era tudo tenro, a indústria começava a nascer. Nos últimos 50 anos, acompanhei São Paulo se desenvolver, frutificar, mas infelizmente se desmantelar. Seu crescimento e sua descaracterização aconteceram muito rápido. Mas minha paixão pela cidade continua até hoje. A culpa é da burrice dos governantes, que poderiam ter aproveitado melhor tanta beleza. "

Nuno Cobra, preparador físico e mental e escritor

312

" A cidade tem energia e ritmo próprios. É uma organização 'gráfica' muito limpa e distinta. O Centro lembra os anos 50, a Avenida Paulista, os 70 e a Avenida Faria Lima, os 80.
O local que mais gosto de ir e recomendo é a boate A Loca. É a cara de São Paulo, graças à mistura de pessoas que a freqüentam. Tem desde travesti até madame. Não há outra igual no mundo. "

Ocimar Versolato, estilista

313

" Que tal um bom programa de cinema na sexta ou no sábado à noite numa das ótimas salas dos shoppings de minha preferência (Morumbi, Jardim Sul e Villa-Lobos), sempre acompanhado de familiares e amigos? Como é gostoso usufruir do burburinho que antecede a sessão, a descontração e a informalidade das pessoas antes da sessão, a pipoca crocante e um copo de bom tamanho de Coca-Cola. Depois de tudo isso, ainda um tempinho para uma pizza numa das sempre disponíveis boas pizzarias da vizinhança. Programa intelectualmente pequeno? Pode ser, mas é muito gostoso! "

Odir Pereira, administrador, presidente do ILB (Instituto Brasileiro de Liderança) e consultor internacional

314

" É a cidade mais dinâmica do Brasil. São Paulo oferece as maiores e melhores oportunidades de carreira, estudo e lazer do país.
É imperdível assistir a um espetáculo de música na Sala São Paulo, Estação Júlio Prestes. "

Olavo Egydio Setubal, presidente da ITAÚSA – Investimentos Itaú S.A.

315

" Vim para São Paulo estudar e aqui encontrei meu campo de trabalho. Eu amo a cidade, mas sinto falta da tranqüilidade dos anos 50. Sou gourmet há muitos anos. Aprecio desde hot dog e pastel na feira até comida light e pratos refinados da culinária internacional. São tantos os restaurantes de que gosto, onde tenho tantos amigos... Cito alguns: Alfama dos Marinheiros, La Tambouille, Massimo, La Trainera, Il Sogno di Anarello, Dinho's, Rubaiyat, Rascal, America. A escolha depende do tempo que tenho e do que quero comer. "

Orlando Duarte, jornalista e escritor

316

" São Paulo tem o incessante e frenético ricocheteio entre as agruras e as doçuras que lapidam minha alma para que se afirme na felicidade. São Paulo é o país brasil, uma idiossincrasia única no mundo. Não há nada parecido com ele entre o céu e a terra. Recomendo ver o sol se pôr na Praça do Pôr-do-Sol, no bairro de Pinheiros, especialmente no outono e na primavera, quando a luz fica mais amarelada e alaranjada nessa hora. "

Oscar Quiroga, psicólogo e astrólogo

317

" Aprendi a gostar de São Paulo e não foi difícil. A cidade tem tudo de que eu preciso e oferece um pouco do melhor de tudo. Tem também aquele garoa incomparável e maravilhosa. "

Oscar Schmidt, jogador de basquete

318

" Nasci, cresci e vivo aqui. Adoro esta cidade, por tudo o que ela oferece. Com certeza faremos dela uma cidade ainda melhor, socialmente falando — é o nosso grande desafio. "

Osmar Elias Zogbi, diretor-presidente da Ripasa S.A. Celulose e Papel

319

" São Paulo é uma cidade otimista na qual as novidades tecnológicas e de serviços são constantes. É uma cidade incrível em seu universo das atividades culturais e gastronômicas. Vibrante nessa desenfreada corrida pelos segundos de conexão com a modernidade e com a comunicação. É uma cidade que tem o poderoso combustível para o processo do nosso aprimoramento pessoal e profissional. Em São Paulo, o desconhecido tem pouco tempo de sobrevivência. "

Omar Silva Júnior, presidente da Cosipa e da Anut (Associação Nacional dos Usuários de Transporte de Carga)

320

" Gosto de São Paulo porque é a cidade onde nasci, dos meus ascendentes e descendentes, onde me eduquei e me profissionalizei, onde aproveitei as oportunidades que surgiram. Eu recomendo um vôo panorâmico sobre São Paulo. Só assim é possível ter a dimensão real da supermetrópole que é, com sua força econômica e seus inevitáveis contrastes econômicos e sociais. "

Oswaldo Melantonio Filho, diretor-geral da Ticket Serviços

321

" São Paulo representa para mim um lugar cheio de vida, cultura, diversão. Nela consegui realizar meus sonhos e viver intensamente cada vitória conquistada, meu primeiro emprego, meus filhos, minha formação e, claro... meu primeiro assalto à mão armada, mas isso é só um detalhe! São Paulo tem algo a mais que outras capitais do mundo não têm. Ela tem alma, tem generosidade, tem oportunidades, tem sempre uma mão amiga, aliás, típica do povo brasileiro. "

Otávio Mesquita, apresentador

322

" Devo a São Paulo tudo o que sou hoje, o que aprendi sobre a arte de fazer pratos. É uma cidade maravilhosa que procura dar carinho e oportunidade a todos. Infelizmente, nem sempre consegue. O Parque da Água Branca é maravilhoso, muito lindo. Adoro passear lá. "

Palmirinha Onofre, apresentadora do programa *TV Culinária*, da TV Gazeta

323

"*Embora não seja paulistano (nasci em Guaratinguetá), foi em São Paulo que cresci, estudei, tive meus filhos e fiz minha vida. Apesar de inóspita e muitas vezes (mais do que o tolerável) selvagem, São Paulo tem coração grande e gente muito, muito interessante. São Paulo tem o Estádio do Pacaembu — o mais belo dos muitos que conheço — e a nostálgica Rua Javari, do meu amado Clube Atlético Juventus (mas tem uma incrível incapacidade de organizar direito um — unzinho! — espetáculo esportivo que seja); tem um metrô eficiente (mas tem ônibus pré-históricos, com linhas ridículas); tem pizzas deliciosas, que tanto me atiçam (mas tem bares muito, muito sujos); tem o Centro Velho, do qual gosto cada vez mais, e a Mooca, em que passei os primeiros vinte anos da minha vida (mas tem bairros novos-ricos, metidos a besta, dos quais nunca gostei). Infelizmente, em São Paulo o contraste é tal que certamente nenhuma outra cidade do planeta a bate nesse aspecto.*"

Pasquale Cipro Neto, *professor de português e escritor*

324

"*Sou filha de francês e amo gastronomia. Adoro experimentar e São Paulo é um prato cheio. Oferece tudo a qualquer hora. Sou bem fiel ao Kosushi. O sócio do restaurante é nissei e ele mesmo prepara os sushis. Conhece os clientes e sabe do que eles gostam. Recomendo o Dyo Salmão, um sushi de salmão batido com cebolinha.*"

Patricia de Sabrit, *atriz e apresentadora*

325

"*São Paulo é, ao mesmo tempo, espanto e absurdo. Não é possível apenas gostar de São Paulo. Amo São Paulo e odeio São Paulo. Aqui tem tudo o que adoro e tudo o que detesto. São Paulo tem tudo o que todas as grandes cidades do mundo têm: luxo, miséria, poluição, alta tecnologia, violência, não nos falta nada de bom, nem de ruim. Temos tudo em excesso.
Um programa que adoro: acordar num domingo, ir a pé até a banca da Vilaboim, comprar jornais. Depois, passar na padaria Barcelona e comprar pão fresco para o café da manhã. Almoçar no bairro, ou em algum restaurante japonês da Liberdade. À tarde, pegar um cinema, e depois dar um pulo na Livraria Cultura para ver as novidades. Isso é o que eu chamo de domingo perfeito.*"

Patrícia Melo, *escritora*

Avenida Paulista

326

"Gosto da oferta múltipla e variada de cultura, da diversidade de raças e da liberdade de ser, o que só uma metrópole proporciona. Programa imperdível: passear distraidamente pelas livrarias do Conjunto Nacional, tomar um café expresso e pegar um cinema."

Patricia Palumbo, jornalista

327

"Gosto de São Paulo pela sua energia. O que ela tem que outras cidades não têm? Vida noturna. Um lugar que recomendo é a Praça Benedito Calixto, por sua diversidade cultural."

Paulo Amorim, empresário do Tom Brasil

328

"Gosto de São Paulo por teimosia, já que, às vezes, ela parece nem ligar pra mim... É fria, calculista e laborfóbica. Uma espécie de banco 24 horas misturado com lojinha de conveniências em escala gigantesca. Ainda assim abre seu coração pra todo mundo..."

Paulo Caruso, cartunista

329

"Gosto de São Paulo por seu ar cosmopolita e seu charme em misturar um pouco de várias capitais do mundo. Aqui encontramos uma fatia de cada região metropolitana de todos os continentes. Ao andar pela Paulista ou pela Berrini, tenho a impressão de transitar no meio de Nova York. Bairros mais tradicionais, como a Vila Madalena, lembram Lisboa antiga. A Liberdade remete a países orientais e a Chinatown. E, se você atravessa a Ponte Cidade Universitária, encontra a USP e seu campus maravilhoso.
Sou da geração fast-food, mas adoro a feijoada do Bolinha. A região do restaurante é gostosa e a comida, muito bem-feita. É a melhor feijoada de São Paulo. E o Theatro Municipal é uma pérola pouco explorada na cidade, talvez porque a ópera é pouco difundida. Mas, devido à sua magnitude, é um programa imperdível."

Paulo Cunha, gerente-geral da Intel no Brasil

Oca, Parque do Ibirapuera

330

" *São Paulo tem fissura pelo trabalho. Tudo o que é bonito na cidade é feito à mão, com as mãos de seus cidadãos. Como adoro trabalhar, não tem como não gostar de São Paulo. Adoro a região do Pacaembu, andar pelas ruas do bairro, comer pastel de carne na feira e, às vezes, assistir aos jogos do Corinthians. Antes eu ia religiosamente, mas a violência das torcidas me afastou um pouco. Meu consultório é em frente ao estádio. E a pizza de mussarela do Camelo é insubstituível! Outro local que freqüento e indico é o Barnaldo Lucrécia.* "

Paulo Gaudencio, médico e psiquiatra

331

" *Em São Paulo fervilham oportunidades, serviços e negócios. É onde pude desenvolver minha atividade profissional de forma mais plena. Costumo levar meu filho ao Parque Antártica para assistirmos aos jogos do Palmeiras. Mas só quando o adversário não é daqui de São Paulo, quando é jogo de uma torcida só. Tenho medo da violência.* "

Paulo Giuliano, assessor financeiro e tributário e sócio da Global Finance

332

" *Gosto muito de São Paulo. Foi onde nasceu minha filha, onde fiz minha carreira e onde tenho meus amigos. E também por causa das esfihas. Adoro esfihas! As melhores da cidade estão no restaurante Arábia da Rua Haddock Lobo.* "

Paulo Henrique Amorim, jornalista

333

" *Cheguei a São Paulo em 1972 e até hoje tenho a sensação de que aqui estou sob a influência do país todo, do mundo inteiro. É o lugar da convergência da informação, da cultura, dos negócios, das pessoas. Aqui pulsam todas as coisas que pulsam no Brasil e no mundo. São Paulo tem tesouros escondidos por toda a cidade. Há o Parque da Luz e, logo ao lado, a Vila Inglesa, que te leva a outro século. Conjuntos arquitetônicos, como a Vilaboim em Higienópolis, e o conjunto de prédios em Pinheiros. Na Vila Mariana, o Museu Lasar Segall e uma vila de casas da década de 20 bem próxima a ele.* "

Paulo Itacarambi, engenheiro e diretor do Instituto Ethos

Feira da Praça Benedito Calixto

334

"Amo São Paulo porque nasci aqui e por tudo aquilo que a cidade deu a minha família quando meu pai, Salim Farah Maluf, chegou ao Brasil, emigrando do Líbano, com apenas 20 dólares no bolso. Foi aqui em São Paulo, bem acolhido, que meu pai, trabalhando duro, transformou-se no proprietário da Serraria Americana, a maior da América Latina. Meu avô, Miguel Stéfano, foi o homem que construiu a primeira usina hidrelétrica privada do Brasil, no Salto do Avanhandava."

Paulo Maluf, ex-prefeito de São Paulo

335

"São Paulo representa a síntese do que um dia será o Brasil. Terra de oportunidade, de acolhimento, de generosidade, de recepção. Ambos, a grande cidade e o grande país, lutam para superar seus problemas, nascidos da mesma origem: a própria grandeza. Apesar de tudo o que ocorre hoje em dia, ainda tenho na mente o mesmo orgulho da criança aqui nascida e que no quarto centenário apaixonou-se aos 4 anos pelo brilho de sua cidade que caía do céu na forma de selos prateados da comemoração. Sou nascido na Avenida Paulista, me chamo Paulo. Estudei no Largo de São Francisco, da USP. São Paulo é tudo."

Paulo Saab, paulistano, jornalista, advogado, presidente da Eletros (Associação Nacional de Fabricantes de Produtos Eletroeletrônicos) e do Instituto Brasileiro de Desenvolvimento da Cidadania, casado com uma paulistana e pai de três paulistanas

336

"Adoro São Paulo por sua vitalidade, pujança, altivez, por sua indiferença e, em especial, pelas oportunidades que a vida na cidade proporciona.
São Paulo tem tudo, menos sossego."

Paulo Setúbal, presidente da Duratex e da Itautec Philco S/A

337

"São Paulo tem um clima espiritual e intelectual sem igual. Aqui tem gente resoluta, sem medo. É o lugar onde nasci, sempre vivi e quero viver para sempre."

Paulo Vanzolini, zoólogo e compositor

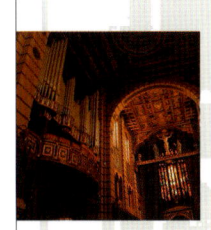

Parque do Ibirapuera

338

❝ Três meses após meus pais chegarem a São Paulo, eu nasci. As tradições italianas são fortes, mas me considero paulistano. Adoro a festa de São Vito, que acontece em junho perto do Mercado Municipal, aonde vou desde criança. Não deixo de comer guimirela, um espetinho de fígado de carneiro com tripa. ❞

Pedro Basilie, gerente da Floricultura São Vito, que funciona há 50 anos no Largo do Arouche

339

❝ Gosto de São Paulo porque encontro o mundo todo na mesma cidade. Um programa imperdível é jantar com os amigos no restaurante A Figueira Rubaiyat e saborear o 'olho de boi'. ❞

Pedro Jorge Filho, diretor-geral da Ultragaz

340

❝ Nasci e me criei aqui. Tenho verdadeira veneração por São Paulo!! Saia de carro sem rumo, pare em qualquer restaurante e descubra por que se come tão bem em São Paulo!! ❞

Pedro Mariano, cantor e compositor

341

❝ São Paulo é uma cidade caótica, intensa e neurótica... mas cheia de surpresas, de longe a parte de que mais gosto. Em alguns minutos você pode estar dentro de uma cachoeira no meio de uma mata, ou em um dos melhores restaurantes japoneses do mundo, ou em um bar num dos poucos hotéis de design desse planeta. Além disso... é onde o dinheiro do Brasil é feito.
Não há outra cidade brasileira que atenda tão bem seus clientes como São Paulo, mesmo que seja para beber um cafezinho num botequim. Esta é uma cidade que sabe fazer as pessoas se sentirem especiais pelo atendimento diferenciado que recebem. ❞

Pedro Mello, empresário e investidor de capital de risco

Pinacoteca do
Estado

342

" O que mais me atrai em São Paulo é a diversidade. Aqui vemos gente de todos os cantos do mundo, de todas as religiões, das mais diversas origens. Temos também 'produtos' de todas essas culturas, tais como restaurantes, livros, música, artesanato e moda.
Um programa especial em um lugar especial em um momento especial: um concerto de música clássica no Parque do Ibirapuera em uma manhã ensolarada de domingo. "

Pedro Villares Heer, paulistano e diretor de Comunicação Corporativa da Siemens

343

" A cidade amarra as pessoas dinâmicas. Todo mundo se queixa, mas não a deixa. Em São Paulo as pessoas tocam na banda, em vez de ver a banda passar. Só na hora da poesia é que é bom ficar apenas vendo a banda passar. "

Percival Maricato, coordenador do PNBE (Pensamento Nacional das Bases Empresariais)

344

" Tenho uma grande paixão pelo golfe. Adoro ir ao São Paulo Golf Club encontrar os amigos e me divertir. Apesar de ter morado em outros países – sete anos em Portugal, dois na Malásia e um na Inglaterra, sendo que antes morei dez anos no Brasil –, tenho uma ligação familiar com a cidade: os meus três filhos nasceram aqui.
Recomendo o São Paulo Golf Club e o San Fernando Golf Club. Ambos possuem excelente infra-estrutura para quem aprecia jogar golfe. "

Peter Källberg, presidente da Ericsson Brasil

345

" São Paulo é uma metrópole latina com ares de primeiro mundo. A vida social é dinâmica, pois a cidade reúne cultura, arte e diferentes opções de compras. O sistema empresarial é sério e o paulista é um povo trabalhador. Nas horas livres, não há nada melhor do que uma boa caminhada pelo Parque do Ibirapuera. "

Piercarlo Sanna, presidente da Agip do Brasil

Praça Ramos de Azevedo

Parque do Ibirapuera

Tribunal da Justiça

Sala São Paulo

346

" Eu amo São Paulo. É o lugar que me faz sentir produtiva, onde trabalho bem. É uma cidade que não permite o ócio. Gosto muito do restaurante Skye, localizado no topo do Hotel Unique. Tem uma vista maravilhosa da cidade e uma comida muito gostosa. "

Priscila Borgonovi, produtora de moda

347

" Gosto de São Paulo porque é uma cidade onde você mantém a sua individualidade e, ao mesmo tempo, ela oferece diversos programas interessantes e ricos para a convivência coletiva. Um programa imperdível: depois de um teatro ou cinema, um belo passeio pelas ruas, bares e restaurantes da Vila Madalena. "

Raí, diretor-executivo da Fundação Gol de Letra

348

" Gosto de São Paulo porque é uma cidade vibrante. Ela tem uma bela wild wart, cultura e divertimento sem parar. Recomendo a alegria da Vila Madalena. "

Rainer F. Oellers, empresário

349

" São Paulo é meu ponto de referência. Não consigo me enxergar em outro lugar. Meu coração dispara sempre que vou à Estação São Bento do metrô. Foi lá que a cena hip hop começou. É o celeiro da grande comunidade. "

Rappin' Hood, músico

350

" São Paulo é uma cidade única, uma mistura peculiar de gente, fruto de quase cinco séculos de fronteiras abertas. A qualquer hora nos finais de semana, o Sesc Pompéia é uma grande atração: pela oferta cultural, esportiva e de lazer, pela mistura de tribos, pelo espaço acolhedor e generoso! "

Raquel Rolnik, urbanista, atualmente ocupando o cargo de secretária nacional de Programas Urbanos do Ministério das Cidades

351

" São Paulo é o encontro de todas as pessoas com a mesma identidade e com os mesmos interesses. Além disso, é uma cidade muito acolhedora que recebe a todos de forma igualitária. É a cidade mais receptiva do mundo, onde todos conhecem todos e, ao mesmo tempo, ninguém conhece ninguém. "

Ratinho, apresentador de TV

352

" Nasci em São José dos Campos e vim para São Paulo com menos de 1 ano. São Paulo é minha terra, minha vida e meu lar. Coleciono símbolos e coisas de São Paulo. Conheço a cidade em seus quatro cantos e caminho por ela. São Paulo tem uma vibração e uma cumplicidade ímpar. Não encontro em nenhum lugar do mundo a integração que aqui existe. São Paulo é harmônica em suas ambigüidades: é forte porém tem leveza, é trabalhadora porém alegre, cerebral porém ingênua. Enfim, é apaixonante!!! "

Raul Corrêa da Silva, presidente da RCS Consultores

353

" Neto de imigrantes sírios e libaneses, em São Paulo nasci, fui criança e um dia fiquei adulto. Aqui conheci minha Márcia e aqui nasceram nossos três filhos amados, Bianca, Raul e Fernando. Mais ainda, esta cidade me presenteou com amigos e a possibilidade de exercer a medicina com excelência.
O que diferencia São Paulo de outras cidades é que ela é estimulante para qualquer coisa, do lazer ao trabalho. Basta querer! "

Raul Cutait, médico, professor da Faculdade de Medicina da USP e diretor do Hospital Sírio-Libanês

354

" São Paulo é uma cidade onde se come bem pagando qualquer preço. Você pode gastar pouco ou muito. Tudo depende do seu bolso. E sabe onde mais gosto de ir? Por incrível que pareça, é num bingo. Lá no Circus Bingo todo mundo se conhece. O local é gostoso e eles servem massas, frango e um badejo extraordinário, meu prato preferido. Aproveito também para jogar com os amigos. Mas sem viciar. "

Raul Gil, showman

Avenida Paulista

355

" Gosto de São Paulo porque é uma cidade que oferece um cardápio cultural extremamente variado e estimulante. Recomendo visitar o Masp e seu acervo permanente, dar uma volta na Pinacoteca do Estado e almoçar no MAM do Ibirapuera Tem o restaurante Varanda Grill, que serve a melhor carne do Brasil, e mais de 50 espetáculos de teatro e dança durante o ano todo. "

Regina Duarte, atriz

356

" São Paulo tem o charme das grandes cidades e os cantinhos bucólicos das cidades pequenas. Tem áreas verdes — poucas, é verdade, mas que mostram grande biodiversidade. Reúne a culinária e a cultura do mundo todo. É possível sair de um local que toca forró e ir dançar tango, ir de um restaurante chinês para um italiano. Isso tudo na mesma noite.
Subir a Serra da Cantareira e ver São Paulo lá de cima é um programa imperdível, e ainda voltamos com mais oxigênio no sangue. "

Regina Monteiro, arquiteta, urbanista e presidente do Movimento Defenda São Paulo

357

" Adoro o movimento da cidade e sua variedade de programas. Tenho de admitir que moro num bairro tranqüilo, o que facilita bastante. Quando quero ficar quietinha, vou para casa e fico curtindo o canto dos pássaros. Se for para fazer compras, vá direto para os Jardins. Passeie pelas ruas Oscar Freire, Bela Cintra, Lorena e Haddock Lobo. Faça um intervalo num desses cafés espalhados pela região ou caia de boca num delicioso cheeseburger do Frevo! "

Regina Moraes, publicitária e atuante no Terceiro Setor

358

" Gosto de São Paulo porque é uma cidade com muita vida e muitos desafios. Está tudo para fazer e tem muitas pessoas dispostas a lutar. O programa imperdível que recomendo é uma visita monitorada à Favela Monte Azul, onde a Associação Comunitária Monte Azul desenvolve um trabalho social há 25 anos. "

Renate Keller Ignácio, gestora de desenvolvimento institucional da Associação Comunitária Monte Azul

Feira da Praça Benedito Calixto

359

" São Paulo tem uma combinação única de características de grandes metrópoles internacionais: a vibração de Nova York, a agitação de Roma, a culinária de Paris, além de oferecer as melhores oportunidades de negócios e desenvolvimento em todas as áreas de conhecimento do Brasil.
Um lugar imperdível para happy hour é o bar do Terraço Itália, que pode ser combinado com um fim de noite na pizzaria Camelo. "

Renato Furtado, presidente da Lucent no Brasil

360

" São Paulo respira modernidade. Ela tem tudo e muito mais que as outras cidades não têm. Recomendo andar a pé pela região da Augusta, vendo, indo e vindo, ouvindo. "

Renato Loureiro, estilista

361

" Gosto de São Paulo porque cada dia pode ser muito diferente do dia anterior, em virtude das possibilidades e oportunidades. Recomendo passear pelas ruas dos Jardins, cruzar com gente bonita e interessante, inteirar-se do que há de mais moderno nos itens de compras e parar obrigatoriamente em qualquer uma das maravilhosas sorveterias tipo italianas, como a Offellê Gelateria D'Arte. "

Reynaldo Gianecchini, ator

362

" É um lugar onde as pessoas vivem no ritmo da informação e estão antenadas em tudo o que acontece no Brasil e no mundo, pois a cidade lhes oferece o acesso a tudo. Os museus e suas exposições de arte são imperdíveis. E também ir bem cedo ao Parque do Ibirapuera. "

Ricardo Almeida, estilista

Feira da Praça Benedito Calixto

363

" Gosto de São Paulo por tudo o que ela tem a oferecer. Nenhuma outra cidade permite o mesmo potencial de realização pessoal. Um programa imperdível: ficar fora por algum tempo, ter uma sensação de inutilidade e desfrutar o prazer de voltar. "

Ricardo Assumpção, advogado

364

" Em São Paulo você pode sair todos os dias, o ano todo, e almoçar e jantar sem repetir o restaurante. É muita opção. Recomendo caminhar pelo Itaim, no miolo entre a Avenida São Gabriel e o Parque do Ibirapuera. É um local muito arborizado e com casas bacanas. Costumo fazer flexões todos os dias em uma praça numa travessa da Rua Groenlândia, onde há uma figueira que é a árvore mais bonita de São Paulo. Gosto também de rezar na Igreja São Gabriel. "

Ricardo Branco, proprietário do restaurante Vecchio Punto

365

" Um domingo perfeito: acordar, tomar um café leve em casa, jogar tênis com os amigos na Granja Julieta, almoçar com a família em qualquer um dos meus restaurantes preferidos (devem ser uns 20), passear a pé no meu bairro (Vila Madalena) para fazer a digestão, pegar uma sessão de cinema das 17h às 19h, fazer meu programa de blues ao vivo na rádio, de preferência com um dos muitos ótimos músicos de blues da cidade, comer uma pizza e voltar para casa e pensar como vai ser a próxima semana. "

Ricardo Côrte Real, apresentador de TV, músico, publicitário e radialista

366

" São Paulo é como casar com a mulher certa: tem muitas facetas das quais é impossível não gostar.
A cidade tem contrastes que convivem em paralelo: caos e ordem, feio e belo, cosmopolitismo e provincianismo, chique e brega...
Existem mil lugares para um espetáculo erudito ou popular e outros mil para um jantar imperdível. "

Ricardo Gonçalves, presidente da Parmalat Brasil S.A. Indústria de Alimentos

Parque do Ibirapuera

367

"Quase tudo em São Paulo é imperdível. O que não são: a insegurança, a violência, a qualidade dos pisos das ruas..."

Ricardo Julião, arquiteto

368

"Por sua grandeza e complexidade, São Paulo representa um desafio. A cidade possui uma rede de gastronomia de dar água na boca. Assistir a um espetáculo na Sala São Paulo, na Praça Júlio Prestes, é um programa imperdível."

Ricardo Montoro, vereador

369

"Gosto muito de viver em São Paulo, pois cresci aqui e aqui vivem meus filhos e netos. É uma cidade muito boa para morar. Apesar de viajar muito, a alegria maior é quando volto de viagem. Um programa imperdível é levar os netos ao circo e ao Jardim Zoológico."

Ricardo Renzo Brentani, presidente do Hospital do Câncer e diretor do Instituto Ludwig de Pesquisa sobre o Câncer

370

"Gosto de São Paulo porque a vida me ensinou a gostar de tudo o que é difícil. Adoro o mistério cotidiano desse encontro de diferentes pessoas do mundo que acontece em São Paulo, a melhor e mais agitada esquina do planeta.
Quem gosta de gente gosta de São Paulo. Muitas grandes cidades também têm gente, mas somente São Paulo sabe entender mesmo quem não a entende. Aqui, qualquer pessoa é uma concreta chance de brilhar, de ser feliz."

Ricardo Viveiros, jornalista e escritor

371

"São Paulo é uma das únicas cidades no mundo que apresentam essa enorme diversidade de opções para tudo e para todos, sob todos os aspectos, para aqueles que buscam das coisas mais simples às mais sofisticadas, de produtos a serviços, e isso a torna uma cidade única, apaixonante e de dificílima substituição. Recomendo que o visitante faça, por exemplo, um circuito gastronômico. Mesmo optando por um só tipo de cozinha, terá opções incríveis e que, com certeza, o farão retornar."

Richard L. T. Bilton, diretor-geral da Companhia Athletica

372

"Sou fã da Liberdade. Sempre vou lá comer sushi. Se não tiver nas barracas da feirinha, entro em qualquer restaurante. Sou viciada em peixe cru. E não deixo de passar nas lojinhas. Compro tudo o que é bugiganga para enfeitar minha casa."

Rita Cadillac, cantora

373

"São Paulo recebe terráqueos de todas as partes do universo. Quem sobrevive em Sampa tira Bagdá de letra. É uma cidade tão caótica quanto eu. Meu programa imperdível em São Paulo é ficar em casa."

Rita Lee, compositora

374

"Gosto de São Paulo porque meus filhos, netos e afilhados estão aqui, porque a Abril está aqui, porque gosto das pessoas maravilhosas que conheço e encontro aqui e... perche si mangia bene!
Poucas outras cidades que conheço têm o vigor e a energia de São Paulo associados a uma vida cultural e artística tão variada e de tanta qualidade.
Recomendo assistir a um concerto da Orquestra Sinfônica do Estado na Sala São Paulo e *A Bela e a Fera* no Teatro Abril, visitar a Pinacoteca do Estado, se empanturrar na Livraria Cultura e jantar num dos grandes restaurantes três estrelas da cidade."

Roberto Civita, presidente do Grupo Abril

375

"Como descendente de libaneses, e vindo do Mato Grosso do Sul, sou extremamente grato à 'cidade da garoa' e a tudo o que ela proporciona. Aqui conheci a Sylvia – minha esposa – e nasceram meus filhos e netos. Foi em São Paulo que a DPZ surgiu e tornou-se uma referência mundial da boa propaganda. Ao lado do Petit e do Zaragoza, desenvolvemos diversas campanhas voluntárias em prol de São Paulo. Minha vontade é continuar por aqui nos próximos 450 anos. Da minha sala, na DPZ, posso ver um dos maiores símbolos da cidade, que é o relógio do Itaú na Avenida Paulista."

Roberto Duailibi, publicitário

376

❝ Gosto de São Paulo porque é uma cidade que está 24 horas no ar: é espetacular, especial, espirituosa, hospitaleira, indispensável, inesperada e inspirada! Recomendo fazer cooper no Parque do Ibirapuera, almoçar no Rodeio, curtir o quadrilátero encantado da Haddock Lobo, Lorena, Consolação e Tietê, fazer umas comprinhas no imperdível Shopping Iguatemi e, de noite, assistir a um espetáculo internacional de música erudita na Sala São Paulo. ❞

Roberto Gheler, presidente do São Paulo Convention & Visitors Bureau

377

❝ As coisas acontecem em São Paulo. Seu gigantismo, sua vocação cosmopolita, sua pujança econômica e efervescência cultural fazem você se sentir a própria vanguarda do país.
O porte da cidade determina a grandeza de tudo o que nela existe. Mas acho que a cidade possui, sobretudo, um grande coração. Recebe e oferece oportunidade a gente de todas as origens. Acho que qualquer paulistano ou turista deveria assistir a um concerto na Sala São Paulo. Revitalizado, o espaço oferece requinte e beleza, com uma acústica excelente. ❞

Roberto Lima, presidente da Credicard

378

❝ São Paulo é sinônimo de desafio. Desafios que também podem ser chamados de oportunidades, obstáculos, chances ou provocações.
Recomendo subir o Pico do Jaraguá e ver o sol nascer. ❞

Roberto Luis Troster, economista-chefe da Febraban (Federação Brasileira dos Bancos)

379

❝ Como sou de Taubaté, interior de São Paulo, a cidade grande sempre me atraiu. Aqui encontrei as oportunidades de trabalho e alcancei meu sucesso profissional. Para quem gosta de boa comida e ambientes bonitos, os restaurantes de São Paulo são imperdíveis. O Vítreo é uma ótima opção. ❞

Roberto Migotto, arquiteto

Liberdade

380

“ Adoro São Paulo. Isso aqui é uma bagunça, mas, para mim, que gosto de movimento, é a cidade ideal. Um bom programa é visitar o Estádio do Morumbi. Mesmo que não seja em dia de jogo, é um bom lugar para conhecer. ”

Roberto Spedito Vieira da Silva, gerente do CineArte, onde trabalha há 26 anos

381

“ Ando descontente com o descaso com a cidade. É muita violência, muito trânsito. Nos anos 60, São Paulo era muito mais bonita. Mas tenho a comodidade de poder fazer o que eu quiser às 3h da madrugada, como fazer compras ou ir a um restaurante. Por ser uma metrópole, as pessoas têm a cabeça mais aberta. E são muito desconfiadas também. Mas é só saber conquistar, que você faz amizades que são para sempre. O trecho da Avenida Nove de Julho entre a São Gabriel e a Faria Lima não mudou muito desde que eu era criança. Conserva uma nostalgia que me encanta. ”

Roger, guitarrista do Ultraje a Rigor

382

“ São Paulo é uma colcha de retalhos com seus muitos imigrantes. Gosto das oportunidades que a cidade oferece e do fato de São Paulo estar em constante mutação. Mas me preocupam muito os problemas que ela enfrenta. Recomendo visitar o Mercado Municipal, onde se come um pastel de bacalhau imperdível. ”

Rogério Fasano, restauranteur

383

“ São Paulo é o espelho do Brasil empreendedor, onde tudo é possível a preço de muito sacrifício, onde todos os paradoxos se exibem, onde o dia se dedica ao trabalho e a noite aos prazeres. Gosto do ambiente dos almoços executivos nos restaurantes dos Jardins, do Parque Ibirapuera nas manhãs ensolaradas do final de semana e do singular momento de calma da madrugada desde um terraço bem alto, quando as luzes da cidade iluminam em silêncio o céu coberto da noite paulistana. ”

Roland de Bonadona, diretor-geral da Accor Hotels

Praça da Sé

384

❝ São Paulo é uma cidade que preserva a privacidade. Você pode ir a um concerto de uma orquestra internacional no Theatro Municipal ou ao jogo da seleção brasileira no Estádio do Morumbi de uma forma anônima. Apenas Londres e Nova York podem se comparar a São Paulo na variedade de oferta de restaurantes. Nas reuniões mensais do Comitê Executivo da Basf para a América do Sul, eu e meus colegas temos aproveitado essas oportunidades para variar de um Santa Gula ao La Paillote, ou entre o Dolce Villa e o Bar des Arts. ❞

Rolf-Dieter Acker, presidente da Basf para a América do Sul

385

❝ São Paulo oferece oportunidades. Sou fruto disso. Cheguei aqui há 14 anos, vindo de uma cidadezinha do interior de Santa Catarina que nem no mapa consta. Filho de pais analfabetos, consegui sucesso material e acadêmico. A base de conhecimento do país está aqui. Tenho um carinho especial pela biblioteca da PUC. Lá encontramos um acervo antigo, com muitas teses interessantes de todas as áreas. É silenciosa e tem uma aura diferente das outras bibliotecas da cidade. ❞

Romeo Busarello, diretor de marketing da Tecnisa e professor de MBA da ESPM (Escola Superior de Propaganda e Marketing)

386

❝ Gosto de São Paulo porque é uma cidade pertinho do mundo e dentro do Brasil. Um programa imperdível é a Feira do Bixiga, nas manhãs de domingos. ❞

Ronaldo Fraga, estilista

387

❝ São Paulo representa meu estilo de vida. É ecumênica em todos os sentidos. Gosto de viver aqui por causa da flexibilidade de culturas, religiões e pessoas. É é a única cidade do mundo onde consigo comer às 4h da madrugada. Adoro o Sushi Kin, o The Hall, o Govinda e o Bistrô, Bristot. E também o Bar The View, localizado do 30º andar do flat Transamérica, na Alameda Santos. É encantador e tem uma vista maravilhosa da região da Avenida Paulista. ❞

Rosana Beni, promoter e apresentadora

Masp

Tribunal da Justiça

Edifício Viadutos

Tribunal da Justiça

388

"São Paulo proporciona o espaço ideal para poder ser, ousar e criar. Milhares de pessoas chegam aqui em busca da realização de seus sonhos. São Paulo vai exigir o máximo de cada uma. É como um professor passando lição de casa todos os dias. Se você vencer aqui, terá um MBA!"

Rose Koraicho, presidente da Koema Empreendimentos e Participações

389

"Gosto de São Paulo pelas oportunidades que oferece em todos os campos: cultura, lazer, trabalho e, acima de tudo, calor humano."

Ruy Martins Altenfelder Silva, presidente do Instituto Roberto Simonsen, organismo de estudos avançados da Fiesp

390

"Nasci e cresci em São Paulo. Vi o desenvolvimento, freqüentemente caótico e às vezes organizado. Vi os contrastes e os desajustes. Vi a formação cultural, rica e estimulante. É uma cidade onde as belezas naturais são substituídas pelos impulsos do homem. Uma cidade forte."

Ruy Ohtake, arquiteto

391

"São muitas as razões pelas quais gosto de São Paulo. Um exemplo: come-se tão bem como na França ou na Bélgica. São Paulo tem sofisticação. É uma das cidades mais civilizadas que conheço."

Sábato Magaldi, crítico teatral

392

"São Paulo tem uma diversidade de serviços que não se encontra em outros lugares. Oferece também oportunidades de trabalho, principalmente no meio artístico. Em um país como o Brasil, isso é fundamental. Gosto de passar a tarde no Parque do Ibirapuera, uma das poucas áreas verdes da cidade. Tenho a impressão de fugir do ambiente agressivo do dia-a-dia."

Sabrina Parlatore, apresentadora de TV

393

“ Uma boa diversão é ir ao Aeroporto de Congonhas. Muita gente vem do interior e nunca viu um avião. Lá é legal porque dá para olhá-los bem de pertinho, subindo e descendo. É comovente observar as pessoas recebendo os passageiros que chegam. „

Salvador Falabella, proprietário da Tabacaria Falabella, que existe no Mercado da Lapa há 40 anos

394

“ Cheguei aqui com 9 anos e não saí mais. Aqui você pode ser visto ou ficar na 'clandestinidade' quando quiser. Gosto de andar com meu marido especialmente no Bixiga, ir à Padaria São Domingos e comer focaccia. Para quem gosta de carne, uma boa pedida é uma churrascaria uruguaia, El Tranvía. Peça o bife de chouriço e a cerveja uruguaia de 1 litro. „

Sandra Ralston, C.O.O. da Jones Lang LaSalle Brasil

395

“ Gosto de São Paulo porque é uma cidade 24 horas. Ela não pára nunca! Para uma vista imperdível, recomendo o Terraço Itália. Para um jantar inesquecível, o Fasano. „

Sandra Rietjens, gerente de Assuntos Corporativos da Danone

396

“ Sou paulista, paulistano e são-paulino! Adoro olhar a cidade a partir da Cantareira, mesmo sem a garoa. Me apaixono pela diversidade de estilos, idiomas e cultura. São Paulo tem tudo para todos os meus seis sentidos! Um programa imperdível é fazer meditação ao nascer do sol na Praça da Paz, no Parque do Ibirapuera. Depois, um bom café completo na inigualável padaria Dona Deôla do Higienópolis. E, uma vez por ano, desfilar na banda do Gueri-Gueri. „

Saul Faingaus Bekin, professor e consultor empresarial em São Paulo

397

❝ *Gosto de São Paulo porque é o lugar que conheço por completo. Tem um clima agradável, com dias quentes e noites frias. Há opções de lazer para todo tipo de pessoa. Recomendo restaurantes como A Figueira Rubaiyat, Don Curro, Massimo e A Trainera. Um dos meus pratos favoritos é o shabu-shabu do Suntory. A cidade tem também excelentes casas de espetáculo, como Credicard Hall, DirecTV, Via Funchal e Olympia. De vez em quando gosto de caminhar na Cidade Universitária.* ❞

Seiji Ishikawa, presidente da YKK do Brasil

398

❝ *São Paulo é uma cidade democrática, de uma diversidade incrível, mas onde todo mundo é igual. O pulsar de São Paulo é diferente, pois a cidade realmente não dorme e é muito acolhedora. O bom em São Paulo é sair à noite e fazer um programa completo: ir a um bom teatro, depois comer em algum restaurante, com pessoas agradáveis. É difícil fazer isso em outras cidades, mesmo nas de Primeiro Mundo, pois os restaurantes fecham mais cedo.*

Sergio Amoroso, presidente do Grupo Orsa e instituidor da Fundação Orsa

399

❝ *Em São Paulo você tem a sensação de não estar sozinho nunca. Temos muito caos, muito trânsito, muita gente... o que é maravilhoso. Adoro fazer compras e passear no Mercado Municipal às 6h da manhã. Nesse horário as bancas estão abrindo e é quando encontramos tudo fresquinho e arrumadinho.* ❞

Sergio Arno, chef de cozinha do restaurante La Vecchia Cucina

400

❝ *Gosto de São Paulo pela convivência que tenho desde que nasci com os mais diversos tipos de pessoas e pelas oportunidades que se apresentam a todos os que realmente querem trabalhar para o engrandecimento desta cidade. Um dos programas imperdíveis é observar e sentir o pôr-do-sol na Praça do Pôr-do-Sol, no Alto de Pinheiros. É energia pura que todos devem experimentar.* ❞

Sergio Ayroza, empresário

401

" São Paulo tem grandiosidade. Aqui temos a Avenida Paulista, similar à 5ª Avenida de Nova York. Mas, como megalópole que é, São Paulo tem também a frieza das grande cidades.
São muitos os lugares imperdíveis, mas considero o Mercado Municipal, nosso 'Mercadão', especial. Lá se encontra todo tipo de produto com altíssima qualidade. "

Sérgio Felipe dos Santos, paulistano, superintendente-geral da Fundação Cásper Líbero

402

" São Paulo é globalização, organização no meio do caos e oportunidade em qualquer ramo. É tudo para mim. "

Sergio Kalil, sócio-proprietário dos restaurantes Ritz, Spot e do restaurante do Hotel Lycra

403

" São Paulo é o berço da tecnologia na área de saúde, dando oportunidade ao profissional de desenvolver-se com maior facilidade. E, por sua característica cosmopolita, permite-nos vivenciar a diversidade no cotidiano.
São Paulo é um grande centro gastronômico. Um programa imperdível é degustar comida mexicana no Restaurante Calmecac, nos Jardins. "

Sérgio Luz, diretor do Conselho Gestor dos Hospitais Camilianos de São Paulo

404

" Estou superfeliz por comemorar os 450 anos de São Paulo. Um dos motivos é que nasci aqui e creio que também ajudei a construí-la. "

Sergio Monte Alegre, jornalista e empresário

405

" Gosto de São Paulo porque a cada dia esta cidade renova as oportunidades e os desafios da convivência com os seus cidadãos.
Um lugar imperdível? Recomendo abrir a planta da cidade e escolher. Com certeza sempre existirá por perto algo que não se deve perder.

Sergio Ribinik, engenheiro, CEO da EAN Brasil (Associação Brasileira de Automação)

Theatro Municipal

406

"Gosto de curtir São Paulo sempre, com ou sem trânsito, nos dias de semana ou nos feriados. Em alguns momentos, como quando saio dos Jardins e vou até o Jockey, passando pela Ponte da Cidade Jardim, sinto como se a cidade fosse minha. Na verdade, sempre me sinto muito viva em São Paulo. Aqui é possível dar a volta ao mundo sem sair da cidade."

Serpui Marie, designer de bolsas, sapatos e bijuterias

407

"São Paulo é uma cidade dinâmica, completa, cosmopolita. É o que mais gosto nela. Adoro comer bem. Para mim, é imperdível ir ao restaurante Parigi saborear um risoto ou uma massa. Eles são imbatíveis."

Sig Bergamin, arquiteto

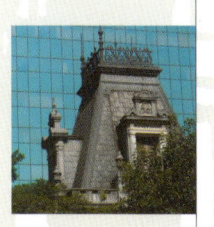

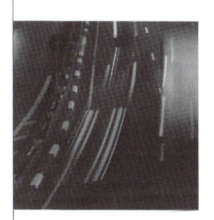

408

"São Paulo é a capital da diversidade. Todos aqui fazemos parte desta efervescência cosmopolita. E quem não gosta disso? São Paulo tem serviço, luxo, lixo, cultura, comida, gente de toda parte. São Paulo tem alma de imigrante, de curiosos, de sobreviventes!!!
Recomendo passear sábado cedo olhando as vitrines dos Jardins, almoçar embaixo da figueira do Rubaiyat, fazer a digestão na casa de um amigo com os quitutes e bebidinhas garimpados no Santa Luzia e planejar um cineminha para a dia ficar tipicamente paulistano."

Silvia Poppovic, jornalista

409

"São Paulo representa a história da minha vida. Aqui nasci, cresci, me formei, criei meu nome, tive meus filhos. São Paulo tem uma diversidade cultural, digamos, caudalosa – apesar da violência.
Recomendo um tour pelos seus restaurantes – com receitas, preciosas, de todas as partes do mundo."

Sílvio Lancellotti, arquiteto, jornalista e food-stylist

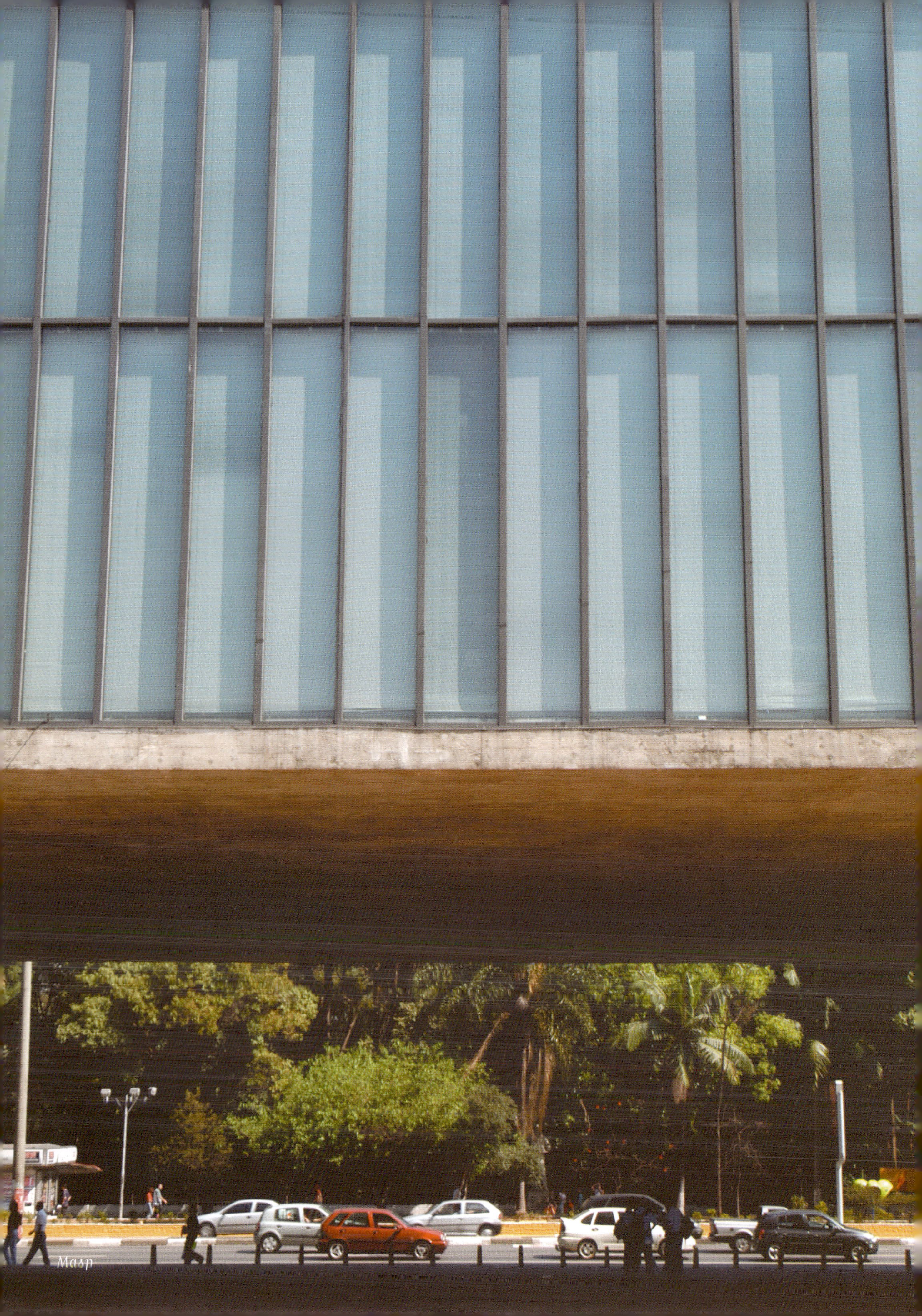

Masp

410

❝ Se São Paulo fosse uma pessoa, na minha vida seria uma esposa: esteve ao meu lado a vida inteira e continuará sendo minha companheira de todas as horas. É como se fosse mesmo um casamento: temos uma relação muito boa, eu gosto dela e ela de mim. ❞

Sinésio Medeiros Correia de Melo, comerciante na feira do Pacaembu há 35 anos

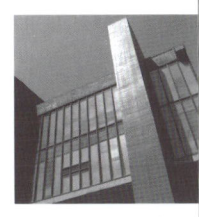

411

❝ Nasci aqui e sou movida a gás carbônico. Amo essa paisagem de concreto, onde cada arranha-céu parece querer tocar a mão de Deus. São Paulo não é um presente da natureza, mas uma cidade construída, tijolo a tijolo, pelas mãos brasileiras e dos imigrantes. É aí, e não no seu tamanho, que reside sua grandeza.
A cidade inteira está aí para ser descoberta e curtida, depende apenas de saber olhar. Mas visitar o Mosteiro de São Bento é obrigatório. Além de maravilhoso pela arquitetura, pela sua história, pelo canto gregoriano e pelas badaladas de seu sino, tem um lugarzinho reservado ao pecado da gula: pães, doces e bolos, feitos pelos próprios religiosos, com receitas secretas, que atravessam os séculos. É uma santa perdição! ❞

Sonia Abrão, apresentadora de TV e jornalista

412

❝ Tem um afeto que é inato, inexplicável... Gosto de São Paulo porque é a minha cidade, nasci aqui. Foi a cidade que recebeu meus avós portugueses e italianos, fugindo da pobreza de outras cidades distantes. São Paulo viu a minha infância inteira: em todas as lembranças, o cenário é ela. Primeira escola, primeira melhor amiga, primeiro namorado... Eu vi todas as mudanças de São Paulo e chorei por algumas delas. Gosto dela porque tem de tudo de todos os lugares do Brasil e do mundo, em todas as horas. Porque tem milhões de pessoas diferentes. Porque às vezes se aquieta e esvazia. Porque tem coisas velhas que ainda não mudaram. E porque continua sujeita a mudanças, precisa de outras mudanças, que espero ser capaz de ajudar a fazer. ❞

Soninha, apresentadora de TV e comentarista de futebol

413

❝ São Paulo tem de tudo. Tem os melhores restaurantes do mundo e tem uma represa chamada Guarapiranga. Ninguém ainda percebeu que ela é ótima para velejar, uma distração e tanto para quem quer mudar de ares e sentir um pouco da natureza. ❞

Stephen Kanitz, consultor de empresas e articulista da revista *Veja*

Palácio da Justiça

414

" São Paulo é o lugar que eu amo, onde nasci e onde mais me sinto em casa. No Hangar 110 rolam os melhores shows de rock em São Paulo. É onde a cena alternativa se reúne. E gosto de ir ao Estádio do Pacaembu ver o Santos jogar. "

Supla, músico

415

" O ritmo da cidade, o agito, o fazer acontecer de São Paulo, tudo isso é muito sedutor, sem falar do anonimato, que me fascina. E quando cai o dia, os bares e restaurantes se acendem e transformam São Paulo na capital dos boêmios. O que São Paulo tem que outras cidades não têm? Oportunidades. Aqui se desembarca com esperanças e chega-se a presidente. "

Synésio Batista da Costa, presidente da Abrinq

416

" São Paulo tem mais de 50 pólos de varejo, algo que você encontra em poucas cidades. Por exemplo, na Rua Teodoro Sampaio estão lojas de instrumentos musicais; na Santa Efigênia, de produtos eletrônicos; na Florêncio de Abreu, de ferro. Há até uma rua — a do Seminário — com estabelecimentos especializados em chapéus!
Um programa imperdível é jogar futebol no SPAC (São Paulo Athletic Club). O clube foi o primeiro campeão paulista e é muito bom jogar naquele gramado — que tem o tamanho do Morumbi e é muito bem cuidado. "

Tadeu Masano, presidente da Geografia de Mercado

417

" Adoro São Paulo porque é uma megalópole onde você tem entretenimento 24 horas por dia. São Paulo tem também diversidade. Diversidade na arquitetura, diversidade de pessoas... Enfim, você tem numa mesma cidade todas as diversidades do mundo. São Paulo é uma cidade imperdível para gourmets. O menu degustação (só para descolados, pois não consta do cardápio) do Restaurante D.O.M., sob os cuidados do chefe Alex Atala, é uma experiência inigualável. "

Tania Mortari Magalhães, sócia-diretora da Lita Mortari

Pinacoteca do Estado

418

" Gosto de São Paulo porque aprecio a maneira bem-feita com que a cidade apresenta o contraste de suas características mais simples com as mais requintadas. Um programa imperdível é tomar caipirinha de tangerina no Bar São Benedito, na feira da Praça Benedito Calixto, sábados à tarde. "

Tarcísio Mello, proprietário do Bar Porto Luna

419

" Nasci em São Paulo, no centro da cidade. Respiro e bebo a cidade. Toda minha família vem daqui ou do interior do Estado. Minhas histórias e raízes estão em São Paulo. Sou o que se chama de 'paulista da gema'. Adoro São Paulo. A gente de São Paulo, desde os tempos em que se chamavam 'paolistas', sempre foi muito acolhedora. Além disso, adoro o Vale do Anhangabaú, suas paisagens e o skyline diferenciado. Tenho uma produtora chamada Anhangabaú Produções, outra chamada No Coração da Selva. Todas são São Paulo. "

Tata Amaral, cineasta paulistana

420

" Aqui vivi 73 dos meus 84 anos, desde que cheguei da Rússia, com dez anos. É a melhor cidade do mundo. Conheço muitas outras e não troco São Paulo por nada. Gosto da cidade, do povo e do clima. Amo São Paulo. Moro no Pacaembu há 50 anos e gosto muito do miolo do bairro. É bonito, silencioso e tranqüilo. Há muito o que ver em São Paulo: suas ruas, suas praças, seus museus, seus lugares históricos. O Museu do Ipiranga me impressionou quando o visitei pela primeira vez, ainda criança, e tenho um carinho especial pelo local até hoje. Eu só não gosto do trânsito da cidade. "

Tatiana Belinky, escritora

421

" Eu amo São Paulo porque é uma cidade cheia de opções para cultura, lazer, estudo, esporte, diversão... e também ótimas opções para fazer nada e descansar. E, mesmo sendo uma cidade tão grande, a gente toda hora esbarra com as pessoas queridas, usando aquela expressão: 'Nossa! Você por aqui? Que mundo pequeno!'.
À primeira vista não é uma cidade muito atraente, mas é uma delícia descobrir toda hora lugares únicos, escondidinhos, que nos surpreendem. E, nossa, como tem festa para ir! "

Thais Losso, estilista da marca Cavalera

Oca. Parque do Ibirapuera

422

" *Sou mais brasileiro do que grego. Amo esta cidade, amo este país maravilhoso. Aqui me casei com brasileiras. São Paulo tem progresso, amor, movimento, alegria e paz. Paz, sim. Temos violência, mas aqui não há guerra nem terremoto. O paraíso é aqui.* "

Thrassyvoulos Georgias Pehakis, proprietário do restaurante Acrópoles, que existe há 43 anos no Bom Retiro

423

" *Nasci em São Paulo. Vivi sempre em São Paulo. Morei em vários bairros de São Paulo. Uns de bom nível residencial, outros mais populares. Essas mudanças proporcionaram-me um melhor conhecimento dos locais por onde passei, suas características, seus segredos e surpresas e, sobretudo, o contato com as mais variadas pessoas que vivem nesta imensa São Paulo.* "

Tobias Dryzun, empresário

424

" *A cidade é um festival para os olhos da gente. Dificilmente outro Estado do país tem uma capital como São Paulo, com tanta oportunidade de trabalho e tantos locais maravilhosos, como o Parque do Ibirapuera e a Avenida Paulista.*
O Bar Brahma tem o melhor chopinho de São Paulo. É um ótimo local para almoçar, jantar – a feijoada é muito saborosa – e se divertir. O Demônios da Garoa se apresenta lá toda quinta-feira há cerca de dois anos. Gosto muito também de tocar na rede Sesc, em especial no Pompéia e no Itaquera. E adoro os estádios do Morumbi e do Pacaembu e o Palácio dos Bandeirantes, que é uma construção muito bonita. "

Toninho, fundador do conjunto Demônios da Garoa

425

" *Gosto de São Paulo porque é uma cidade cosmopolita. Aqui você encontra gente de todas as raças e credos e ainda tem o melhor da cultura, da arquitetura, da culinária, do entretenimento, da noite.*
Lugares e programas imperdíveis: o Parque do Ibirapuera e seus museus, a Pinacoteca do Estado e o Masp, a Feira da Praça Benedito Calixto aos sábados e a Feira do Bixiga aos domingos, visitar a Catedral da Sé, jantar no Carlota, fazer compras na Oscar Freire. "

Tufi Duek, estilista

Estação Júlio Prestes

426

"São Paulo é uma cidade inesgotável. É muito bom poder optar entre cinemas, clubes, parques, academias, shoppings, livrarias, restaurantes... Isso é São Paulo. Lugares imperdíveis? Começo com as feirinhas de antiguidades e afins de que mais gosto: sábado, a da Praça Benedito Calixto, e domingo, a do Bixiga. Como sou um apaixonado por brechós, sempre dou um pulinho no A Minha Avó Tinha. Entre os bairros, adoro a Vila Madalena. O Parque do Ibirapuera é lindo e é pura energia. No quesito gastronomia, adoro ir ao Gero, Spot ou La Tambouille, principalmente após ter assistido a um espetáculo no Theatro Municipal. Passar pelas festas – que são intermináveis – e pelas boates (como a Disco) também faz parte do meu cotidiano e da minha paixão pela vida e pelo belo."

Valdemar Iódice, diretor de estilo da grife Iódice

427

"São Paulo é uma cidade plural, uma metrópole, é a combinação de muitas culturas e influências. Sou cearense, morei 30 anos em Brasília e sinto que São Paulo acolhe muito bem quem vem para cá com ânimo e vontade de produzir, independentemente de sua origem. Gosto de São Paulo porque a cidade une seriedade e eficiência com alegria e descontração. Considero-me um neopaulistano. A cidade oferece oportunidades em abundância e chances de desenvolver as capacidades inerentes a todas as pessoas. São Paulo é maior que qualquer crise."

Valdery Albuquerque, presidente do banco Nossa Caixa

428

"São Paulo abriu as portas para que eu alcançasse meus objetivos pessoais e profissionais. É a cidade que agrega tudo o que necessitamos ou sonhamos, desde produtos vendidos por camelôs até as mais sofisticadas grifes do mundo.
Um programa imperdível é jantar à luz de velas no restaurante do Terraço Itália, após um teatro."

Valentina Caran, empresária

429

"São Paulo imprime uma marca em você. É múltipla e sempre plural. Mescla riqueza, cultura e liberdade. Aqui, tudo é possível."

Valéria Camarero, diretora de marketing e relações institucionais da LG Eletronics

430

" São Paulo parece compensar o excesso de trânsito, poluição, violência e desordem com uma oferta cultural igualmente abundante: há todo o tipo de gente, as mais variadas manifestações de arte, cinema, teatro, música, comida, festas populares e eventos para todos os gostos. Por ser tão grande, São Paulo é formada por bairros que são pequenos distritos, com identidade própria, como se a própria cidade tivesse cidades dentro dela. A grande magia de São Paulo é não ter uma programação específica que possa ser descrita num guia turístico. Em São Paulo, o programa imperdível muda a cada semana. "

Vange Leonel, cantora e escritora

431

" São Paulo para mim representa uma história de segredos ainda a serem contados. O que ela tem de diferente são seus rios subterrâneos, como o Anhangabaú ou o Saracura (Nove de Julho), e que por cima de pontes ou viadutos tentamos imaginá-los. Um programa imperdível é ouvir Ronda com os instrumentistas da Praça Benedito Calixto. "

Vera Lucia Dias, guia de turismo cultural

432

" São Paulo é a cidade grande cheia de verde para quem não enxerga com olhos de concreto, que me assustou há 30 anos e rapidamente me conquistou, em caráter definitivo.
São imperdíveis: um passeio nas manhãs dos domingos ensolarados na Praça Vinícius de Moraes (Morumbi), preferencialmente conduzida por um cachorro amigo; um café da manhã estilo piquenique com toda a farofada a que se tem direito num dos recantos cheios de encantos no bosque do Morumbi; ou um churrasco nos quiosques caprichados do Parque Luiz Carlos Prestes, lá no alto, com direito a quadras de esporte e uma vista fantástica. "

Vera Lúcia Fiordoliva, jornalista, repórter da Rádio Eldorado

433

" São Paulo faz jus ao título de 'cidade do trabalho' ou 'locomotiva do Brasil'. Quem vive aqui acaba entrando no seu ritmo frenético e passa a produzir como jamais o fez em qualquer outro lugar.
Imperdível é assistir ao melhor futebol do mundo em qualquer um dos estádios, Morumbi, Pacaembu ou Parque Antártica, de preferência com o Verdão. "

Victor Mirshawka, engenheiro e diretor cultural da Fundação Armando Álvares Penteado (FAAP)

434

" É imperdível visitar o Conjunto Nacional. Ele pode estar velhinho e não ser plastificado como um shopping center, mas tem a cara de São Paulo. As pessoas gostam de se encontrar aqui. É um excelente espaço cultural, com restaurantes, livrarias e cinemas. "

Vilma Peramezza, gerente-geral e síndica do Conjunto Nacional desde 1984

435

" Gosto de São Paulo pela sua grandiosidade e pela maneira como ela recebe e dá oportunidades às pessoas que chegam. Tem muitas coisas bonitas, como o Cemitério da Consolação. É um lugar que recomendo conhecer e que gostaria que estive no roteiro turístico oficial da cidade. Aqui há muitas obras de artes e muita paz, muito verde e até passarinhos cantando. Meu preferido é o Mausoléu dos Matarazzo, pela sua beleza e exuberância. "

Viviane Aparecida Fontana, administradora do Cemitério da Consolação

436

" Gosto de São Paulo porque é o maior pólo econômico da América do Sul, onde se pode desenvolver qualquer atividade produtiva com excelência.
São Paulo é um dos melhores lugares do mundo para comer, qualquer tipo de cozinha, a qualquer hora do dia ou da noite. Esse é um programa imperdível na cidade. "

Viviane Senna, presidente do Instituto Ayrton Senna

437

" O cinza de São Paulo me leva para o meu interior e me faz refletir. Amo a cidade, e todos os seus defeitos são parte de minha vida. Aqui é o meu ninho. "

Walderez de Barros, atriz

Pinacoteca do Estado

438

" São Paulo é um microcosmo do mundo, cosmopolita, recebeu e recebe de braços abertos todos os povos. Essa mistura é que faz a diferença em relação a outras cidades. Viver aqui é ser libanês, japonês, alemão, português, inglês, francês, tudo ao mesmo tempo.
Entre os meus lugares favoritos estão a Biblioteca Mário de Andrade, o Museu de Arte Moderna e as feiras de antiguidades da Praça Benedito Calixto e do Bixiga. "

Walter Rodrigues, estilista

439

" Um é pouco. São vários os lugares imperdíveis: a Livraria Cultura, a Pinacoteca do Estado, o Parque da Luz, o Parque do Ibirapuera, o Parque da Aclimação e as feiras de artesanato espalhadas por toda a cidade. Sem contar a excelente gastronomia encontrada em restaurantes como A Figueira Rubaiyat, onde há mesas ao ar livre em volta de uma figueira. "

Wanessa Camargo, cantora, atriz e apresentadora

440

" Cheguei a São Paulo há 17 anos e consegui ser reconhecido pelo meu trabalho. A cidade é minha satisfação pessoal. Graças a ela faço o que gosto. É o único lugar no Brasil onde consigo viver de efeitos especiais e maquiagem.
Adoro a vista do meu apartamento. Moro em frente ao Ginásio do Ibirapuera e sempre que olho pela janela parece que acabou de descer uma nave espacial. "

Westerley Dornellas, caracterizador

441

" Sou mineiro, vim de Belo Horizonte há dois anos para trabalhar e estou achando a cidade fascinante, com sua diversidade cultural, sua pujança econômica e as inúmeras opções gastronômicas. Acredito que São Paulo representa a esperança de crescimento pessoal e profissional para qualquer pessoa que aqui chegue, vinda de outra localidade do país.
Por motivos profissionais, passo grande parte do meu tempo no Aeroporto de Congonhas, endereço que sintetiza o vigor empreendedor da cidade e a criatividade de seus habitantes. Se observado com atenção, o aeroporto é também um prazer estético, dada a ousadia de suas linhas arquitetônicas e o bom gosto de seus interiores. "

Willer Larry Furtado, superintendente do Aeroporto Internacional de Congonhas/São Paulo

442

" Gosto de São Paulo pela sensação de ser mais uma na multidão, mas especial entre milhões. Adoro curtir a despedida de mais um dia na Praça do Pôr-do-Sol e poder fazer meu supermercado na Praça Pan-Americana, na tranqüilidade da madrugada. E curtir a noite paulistana papeando com os meus amigos no Garoa Bar. "

Wilma Motta, Cidadã Paulistana de coração e vice-presidente do Instituto Sergio Motta

443

" São Paulo tem vida festiva e calor humano. Como a Mooca, bairro onde sempre morei. Adoro ir à Pizzaria do Ângelo, comer esfiha no Juventus e passear pela Praça Marcondes Ferraz. "

Wilson Cabral, diretor-geral da Columbia Tri Star Home Entertainment do Brasil e presidente da União Brasileira de Vídeo

444

" São Paulo me adotou e eu a adotei. Sou carioca e vim novo para cá. Foi aqui que minha carreia começou. Mas sinto um misto de amor e tristeza por causa da falta de amor das pessoas com a cidade.
Indico as salas de cinema do Shopping Villa-Lobos. O som lá é muito bom. E também o restaurante Capim Santo, onde é possível comer embaixo das árvores com o mesmo charme da matriz de Trancoso, no sul da Bahia. "

Wilson Simoninha, cantor e produtor musical

445

" É uma cidade onde você encontra tudo o que imaginar. À noite, principalmente, para quem gosta de se divertir, existem muitas e boas opções de teatros, shows e restaurantes de culinárias variadas. Além disso, quando viemos do Paraná, São Paulo foi a cidade que nos recebeu. Foi aqui que começamos nossa carreira. Para mim, é uma cidade maravilhosa e uma das mais importantes no mundo. "

Xororó, cantor

446

" Conheço e amo cada palmo do Centro de São Paulo. Palavra de ex-office-boy: não há nada igual caminhar entre suas ruas cheias de significado. De dia ou de noite, apinhadas ou desertas. Experimente, por exemplo, percorrê-las numa madrugada de névoa. É como mergulhar num filme de David Lynch com trilha de Paulo Vanzolini. "

Yacoff Sarkovas, presidente da Articultura Comunicação e consultor de patrocínio empresarial

447

" Gosto de São Paulo porque a sua aparente desorganização estética revela a organização antropofágica da miscigenação. A cidade mescla a imponente Avenida Paulista com a singeleza do Brás, mescla o Masp com repentistas da Praça da Sé. "

Yara Baumgart, empresária

448

" Gosto muito de São Paulo. Aqui se pega amizade fácil. "

Yukio Nomoto, desde 1933 no Brasil, proprietário da Barraca Imagawa-Yaki, na Feira da Liberdade

449

" Eu costumo brigar muito com os paulistanos por causa dessa necessidade de sair da cidade nos feriados e finais de semana. Esse é decididamente o melhor momento de ficar aqui: as ruas vazias, os cinemas sem filas, os restaurantes sem espera. São nesses períodos que daqui ninguém me tira. "

Zé Pedro, DJ

450

" São Paulo tem muitos atrativos, para vários gastos e gostos. Para os que adoram uma boa comida tem o Charlô, especialmente o do Jockey – sabor e visual imperdíveis. Um passeio pela Fundação Maria Luisa e Oscar Americano garante um ar mais leve, a sensação de segurança e liberdade em meio à beleza de obras de arte e da natureza, muitas vezes com direito a uma música clássica ao vivo – o que torna o ambiente ainda mais mágico. Para arrebatar, um serviço de chá dos mais completos da cidade. Adoro isso! "

Zizi Possi, cantora

Serviço

Os endereços dos lugares citados pelos entrevistados

Bares, Restaurantes e Casas Noturnas

A Figueira Rubaiyat
Rua Haddock Lobo, 1738 – Jardins
Tel. (11) 3063-3888

A Loca
Rua Frei Caneca, 916 – Bela Vista
Tel. (11) 3159-8889

Agadir
Rua Fradique Coutinho, 950 – Vila Madalena
Tel. (11) 3097-0147

Alfama dos Marinheiros
Rua Pamplona, 1285 – Jardins
Tel. (11) 3884-9787

Almanara
Rua Basílio da Gama, 70 – República
Tel. (11) 3257-7580
Mais 7 endereços: www.almanara.com.br

America
Al. Santos, 957 – Cerqueira César
Tel. (11) 3283-4424
Atendimento ao consumidor: 0800 11 4334
Mais 12 endereços: www.americaburger.com.br

Antiquarius
Al. Lorena, 1884 – Jardins
Tel. (11) 3082-3015

Arábia
Rua Haddock Lobo, 1397 – Jardim Paulista
Tel. (11) 3064-4776

Arábia Express
No Shopping Iguatemi: Av. Faria Lima, 2232 – Jardim Paulistano
Tel. (11) 3815-3331
Fábrica e loja: Rua Fiandeiras, 422 - Moema
Tel. (11) 3845-5373

Baby Beef Rubaiyat
Alameda Santos, 86 – Paraíso
Tel. (11) 3141-1188, 289-6366
Avenida Brigadeiro Faria Lima, 2954 – Itaim Bibi
Tel. (11) 3078-9488

Bar Brahma
Avenida São João, 677 – Centro
Tel. (11) 3333-0855

Bar des Arts
Rua Pedro Humberto, 9 – Itaim Bibi
Tel. (11) 3078-0828

Bar Léo
Rua Aurora, 100 – Santa Ifigênia
Tel. (11) 221-0247

Barcelona Doces e Pães
Rua Armando Penteado, 33 – Higienópolis
Tel. (11) 3826-4911, 3826-4689

Barnaldo Lucrécia
Rua Abílio Soares, 207 — Paraíso
Tel. (11) 3885-3425

Bistrô, Bristot
Rua Oscar Freire, 30 — Jardins
Tel. (11) 3082-7881

Bolinha Restaurante
Avenida Cidade Jardim, 53 — Jardins
Tel. (11) 3061-2010

Botequim do Hugo
Rua Pedroso Alvarenga, 1014 — Itaim Bibi
Tel. (11) 3079-6090

Buttina
Rua João Moura, 976 — Pinheiros
Tel. (11) 3083-5991

Ca'd'Oro
Rua Augusta, 129 — Consolação
Tel. (11) 3236-4377

Calmecac
Rua Padre João Manoel, 861 — Jardins
Tel. (11) 3082-0499, 3082-2720

Camelo
Rua Pamplona, 1873 — Jardins
Tel. (11) 3887-8764, 3887-6004
Avenida Presidente Juscelino Kubitschek, 151 —
Itaim Bibi
Tel. (11) 3842-1341
Rua Marechal Hastimphilo de Moura, 73 — Morumbi
Tel. (11) 3747-4455

Capim Santo
Rua Arapiraca, 152 — Vila Madalena
Tel. (11) 3813-9103

Carlota
Rua Sergipe, 753 — Higienópolis
Tel. (11) 3661-8670

Casa Santa Luzia
Al. Lorena, 1471 — Jardins
Tel. (11) 3897-5000

Charlô
Rua Barão de Capanema, 440 — Cerqueira César
Tel. (11) 3088-6790, 3083-3793
No Jockey Club: Avenida Lineu de Paula Machado, 1263
— Cidade Jardim
Tel. (11) 3034-3682

Chopp do Miguel
Av. Moema, 829 — Moema
Tel. (11) 5052-4102
Al. Itu, 1232 — Jardins
Tel. (11) 3062-3985

Circus Bingo
Av. Ibirapuera, 2601 — Moema
Tel. (11) 5542-6117 e (11) 5535-1409

Deli Paris
Rua Harmonia, 484 — Vila Madalena
Tel. (11) 3816-5911

Dengosa Pães e Doces
Rua Doutor Melo Alves, 281 — Jardim Paulista
Tel. (11) 3061-2919, 3064-0287

Dinho's Place
Alameda Santos, 45 — Paraíso
Tel. (11) 3016-5333

Disco
Av. Brigadeiro Faria Lima, 3729 — Itaim Bibi
Tel. (11) 3078-0404

Dolce Villa
Rua Pedroso Alvarenga, 554 — Itaim Bibi
Tel. (11) 3167-0007

D.O.M.
Rua Barão de Capanema, 549 — Jardim Paulista
Tel. (11) 3088-0761

Don Curro
Rua Alves Guimarães, 230 — Pinheiros
Tel. (11) 3062-4712, 3083-5168

Dona Deôla
Rua Conselheiro Brotero, 1422 — Higienópolis
Tel. (11) 3826-4648
Avenida Pompéia, 1937 — Pompéia
Tel. (11) 3672-6600

El Tranvía
Rua Conselheiro Brotero, 903 – Santa Cecília
Tel. (11) 3664-8313, 3667-8108

Empório Dinho's
Alameda Santos, 33 – Paraíso
Tel. (11) 3263-0373

Empório Santa Maria
Av. Cidade Jardim, 790 – Jardim Paulistano
Tel. (11) 3816-4344

Esplanada Grill
Rua Haddock Lobo, 1682 – Cerqueira César
Tel. (11) 3081-3199
No Morumbi Shopping: Av. Roque Petroni Jr, 1089, Piso Lazer – Morumbi
Tel. (11) 5181-8156

Fasano
Rua Vitório Fasano, 88 – Jardins
Tel. (11) 3896-4000

Fogo de Chão
Avenida Santo Amaro, 6824 – Santo Amaro
Tel. (11) 5524-0500
Avenida Moreira Guimarães, 964 – Planalto Paulista
Tel. (11) 5056-1795

Frevo
Rua Oscar Freire, 603 – Jardins
Tel. (11) 3082-3434

Galeria dos Pães
Rua Estados Unidos, 1645 – Jardim América
Tel. (11) 3064-5900

Garoa Bar
Rua Inhambu, 229 - Moema
Tel. (11) 5052-6933

Gero
Rua Haddock Lobo, 1629 – Cerqueira César
Tel. (11) 3064-0005

Gero Caffè
No Shopping Iguatemi: Av. Faria Lima, 2232, Piso Iguatemi – Jardim Paulistano
Tel. (11) 3813-8484

Govinda
Rua Princesa Isabel, 379 – Brooklin
Tel. (11) 5092-4816

Il Sogno di Anarello
Rua Il Sogno di Anarello, 58 – Vila Mariana
Tel. (11) 5575-4266

Kayomix
Rua da Consolação, 3215 – Jardins
Tel. (11) 3082-2769

Kosushi
Rua Viradouro, 139 – Itaim Bibi
Tel. (11) 3167-7272

Kopenhagen do Shopping Iguatemi
Av. Brig. Faria Lima, 2232, Piso Térreo – Jardim Paulistano
Tel. (11) 3814-7185

La Casserole
Largo do Arouche, 346 – Centro
Tel. (11) 3331-6283

La Paillote
Av. Nazaré, 1946 – Ipiranga
Tel. (11) 5061-5182

La Tambouille
Avenida Nove de Julho, 5925 – Itaim Bibi
Tel. (11) 3079-6277, 3079-6276

La Trainera
Avenida Brigadeiro Faria Lima, 2992 – Itaim Bibi
Tel. (11) 3168-5988

Lellis Trattoria
Rua Bela Cintra, 1849 – Jardins
Tel. (11) 3064-2727

Lov.e Club
Rua Pequetita, 189 – Vila Olímpia
Tel. (11) 3044-1613

Massimo
Al. Santos, 1826 – Cerqueira César
Tel: (11) 3284-0311

Offellê Gelateria D'Arte
Alameda Lorena, 1784 – Jardins
Tel. (11) 3081-8127

Original
Rua Graúna, 137 – Moema
Tel. (11) 5093-9486

Padaria São Domingos
Rua São Domingos, 330 – Bela Vista
Tel. (11) 3104-7600

Pandoro
Av. Cidade Jardim, 60 – Jardins
Tel. (11) 3083-0399

Pão de Queijo Haddock Lobo
Rua Haddock Lobo, 1408 – Jardim Paulista
Tel. (11) 3088-3087

Parigi
Rua Amauri, 275 – Itaim Bibi
Tel. (11) 3167-1575, 3167-2560

Passatempo
Rua Jerônimo da Veiga, 446 – Itaim Bibi
Tel. (11) 3079-5054

Pastéis Trevo de Bertioga
Rua José Maria Lisboa, 757 – Jardim Paulista
Tel. (11) 3884-8942

Pizzaria Braz
Rua Graúna, 125 – Moema
Tel. (11) 5561-0905
Rua Vupabussu, 271 – Pinheiros
Tel. (11) 3037-7975, 3037-7973
Rua Sergipe, 406 – Higienópolis
Tel. (11) 3231-1554

Pizzaria Cristal
Rua Prof. Arthur Ramos, 551 – Jardim Paulistano
Tel. (11) 3031-0828

Pizzaria do Angelo
Rua Sapucaia, 527 – Mooca
Tel. (11) 6692-5230

Ponteio
Avenida Jaguaré, 1600 – Jaguaré
Tel. (11) 3768-4902, 3714-7788

Ponto Chic
Largo do Paissandu, 27 – Centro
Tel. (11) 222-6528, 222-9057
Praça Oswaldo Cruz, 26 – Paraíso
Tel. (11) 289-1480, 3266-8756
Largo Padre Péricles, 139 – Perdizes
Tel. (11) 3826-0500
Alameda dos Arapanés, 1005 – Moema
Tel. (11) 5051-5280, 5051-2593

Porto Luna
Rua Tabapuã, 1417 – Itaim Bibi
Tel. (011) 3071 2878

Quattrino
Rua Oscar Freire, 506 – Jardins
Tel. (11) 3068-0319
No Hotel Meliá Iguatemi: Rua Iguatemi, 150 – Itaim Bibi
Tel. (11) 3704-5116

Rascal
Alameda Santos, 814 – Cerqueira César
Tel. (11) 3141-0692
Mais quatro endereços

Real Pizzaria e Lanchonete
Av. Prof. Alfonso Bovero, 2 – Sumaré
Tel. (11) 3871-5129

Restaurante Tsubaki
No Nikkey Palace Hotel: Rua Galvão Bueno, 425 – Liberdade
Tel. (11) 3207-8511

Rodeio
Rua Haddock Lobo, 1498 – Jardins
Tel. (11) 3083-2322

Roma
Rua Maranhão, 512 – Higienópolis
Tel. (11) 3825-1077

Santa Gula
Rua Fidalga, 340 – Vila Madalena
Tel. (11) 3812-7815

Sta. Felicidade
Rua Peixoto Gomide, 1635 – Jardins
Tel. (11) 3083-7159

São Benedito
Praça Benedito Calixto, 78 – Pinheiros
Tel. (11) 3062-9678

Skye
No Hotel Unique: Av. Brigadeiro Luís Antonio, 4700 / cobertura – Jardim Paulista
Tel. (11) 3055-4702

Speranza
Rua Treze de Maio, 1004 – Bela Vista
Tel. (11) 288-8502
Avenida Sabiá, 786 - Moema
Tel. (11) 5051-1229

Spot
Alameda Ministro Rocha Azevedo, 72 – Cerqueira César
Tel. (11) 3283-0946, 3284-6131

Suntory
Alameda Campinas, 600 – Cerqueira César
Tel. (11) 3283-2455

Supremo Musical
Rua da Consolação, 3473 – Jardins
Tel. (11) 3082-6142

Sushi Kin
Av. Horácio Lafer, 51 – Itaim Bibi
Tel. (11) 3071-2225

Tandoor
Rua Doutor Rafael de Barros, 408 – Paraíso
Tel. (11) 3885-9470

Terraço Itália
No Edifício Itália: Avenida Ipiranga, 344, 41º e 42º andares – Centro
Tel. (11) 3257-6566

The Hall
Alameda Lorena, 1717 – Jardim Paulista
Tel. (11) 3082-7848

The View
Al. Santos, 981 – Cerqueira César
Tel. (11) 3266-3692

Varanda Grill
Rua General Mena Barreto, 793 – Jardim Paulista
Tel. (11) 3887-8870

Vítreo
Rua Oscar Freire, 512 – Cerqueira César
Tel. (11) 3062-7001

Compras

Antiquário A Minha Avó Tinha
Rua Dr. Franco da Rocha, 74 – Perdizes
Tel. (11) 3865-1759

Ceasa (Ceagesp)
Rua Gastão Vidigal, 1946 – Vila Leopoldina
Tel. (11) 3643-3700, 0800 111 978

Feira de Antiguidades do Masp
Marquise do Masp - Av. Paulista, 1578 – Cerqueira César
Domingos, das 10h às 17h

Feira de Artes e Antiguidades do Bixiga
Praça Dom Orione – Bixiga
Domingos, das 8h às 18h
Tel. (11) 3209-9808

Feira de Artesanato e Antiguidades da Benedito Calixto
Praça Benedito Calixto – Pinheiros
Sábados, das 8h às 18h
Tel. (11) 3081-1803

Feira de Artesanato da Liberdade
Praça da Liberdade – Liberdade
Domingos, das 10h às 19h

Feira Trianon de Artes e Artesanato do Trianon
Em frente ao Parque Trianon, entrada da Av. Paulista, s/n, altura do Masp

Domingos, das 10h às 17h
Também às quartas, quintas e sextas, a cada quinze dias, das 10h às 17h (não são todas as barracas que funcionam, pois há um rodízio)

Fnac
Av. Pedroso de Moraes, 858 – Pinheiros
Tel. (11) 3097-0022

Galeria do Rock
Rua 24 de Maio, 62 – Centro
Entrada também pela Av. São João, 439 - Centro
Tel. (11) 3352-6488

Livraria Cultura
No Conjunto Nacional: Av. Paulista, 2073 – Consolação
Tel. (11) 3285-4033
No Shopping Villa-Lobos: Av. Nações Unidas, 4777, 2º Piso – Alto de Pinheiros
Tel. (11) 3024-3599

Mercado Municipal Paulistano (antigo Mercado Central)
Rua da Cantareira, 306 – Cantareira
Tel. (11) 228-0673

Saraiva Mega Store
No Shopping Eldorado: Av. Rebouças, 3970, 1º Piso – Pinheiros
Tel. (11) 3819-5999
No Morumbi Shopping: Av. Roque Petroni Jr, 1089, Piso Térreo – Morumbi
Tel. (11) 5181-7574
No Shopping Ibirapuera: Av. Ibirapuera, 3103, Piso Moema – Moema
Tel. (11) 5561-7290
No Shopping Anália Franco: Av. Regente Feijó, 1739, Nível Orquídea – Jardim Anália Franco
Tel. (11) 6672-5050
No Shopping Center Norte: Travessa Calsalbuono, 120, Loja 400 – Vila Guilherme
Tel. (11) 6222-2110

Shopping Iguatemi
Av. Brig. Faria Lima, 2232 – Jardim Paulistano
Tel. (11) 3038-6000

Construções

Catedral Metropolitana (Catedral da Sé)
Pça. da Sé, s/n – Centro
Tel. 3107-6832

Conjunto Nacional
Av. Paulista, 2073 – Consolação
Tel. (11) 3179-0190

Edifício Copan
Av. Ipiranga, 200 – Centro
Tel. (11) 3259-5917

Edifício do Banespa (Edifício Altino Arantes)
Rua João Brícola, 24 – Centro
Tel. (11) 3249-7466

Edifício Martinelli
Rua São Bento, 405 – Centro
Entrada também pela Rua Líbero Badaró, 504 - Centro
Tel. (11) 3104-2477

Mosteiro de São Bento
Largo São Bento, s/n – Centro
Tel. (11) 228-3633

Obelisco (Monumento aos Heróis de 32)
Parque do Ibirapuera, em frente aos portões 1 e 2
Av. Pedro Álvares Cabral, s/n – Ibirapuera

Palácio dos Bandeirantes
Avenida Morumbi, 4500 – Morumbi
Tel. (11) 3745-3344

Palácio dos Campos Elíseos
Av. Rio Branco, 1269 – Campos Elíseos
Tel. (11) 3331-0033

Paróquia de São Gabriel
Av. São Gabriel, 108 – Jardim Paulista
Tel. (11) 3887-4839

Pátio do Colégio
Praça Pátio do Colégio – Centro
Tel. (11) 3105-6899

Capela de Anchieta
Praça Pátio do Colégio, 84 – Centro

Museu Anchieta
Praça Pátio do Colégio, 2 — Centro

Prédio da Rede Gazeta (Fundação Cásper Líbero)
Av. Paulista, 900 — Cerqueira César
Tel. (11) 3170-5757

Cultura e Lazer

Biblioteca Mário de Andrade
Rua da Consolação, 94 — Centro
Tel. (11) 3241-4384

Biblioteca Nadir Gouvêa Kfouri (PUC-SP)
Rua Monte Alegre, 984 — Perdizes
Edifício Reitor Bandeira de Mello, térreo
Tel. (11) 3670-8265
PUC Geral: (11) 3670-8000

Casa da Fazenda do Morumbi
Avenida Morumbi, 5594 — Morumbi
Tel. (11) 3742-2810

Casa das Rosas
Av. Paulista, 37 — Paraíso
Tel. (11) 251-5271 ou 288-9447

Centro da Cultura Judaica (Casa de Cultura de Israel)
Rua Oscar Freire, 2500 — Pinheiros
Tel. (11) 3065-4333

Centro Cultural Banco do Brasil
Rua Álvares Penteado, 112 — Centro
Tel. (11) 3113-3651

Cine Morumbi Shopping
Av. Roque Petroni Júnior, 1089 — Morumbi
Tel. (11) 5189-4655

Cinemateca
Largo Senador Raul Cardoso, 207 — Vila Clementino
Tel. (11) 5084-2318, 5084-2177

Cinesesc
Rua Augusta, 2075 — Cerqueira César
Tel. (11) 3082-0213

Credicard Hall
Av. das Nações Unidas, 17955 — Vila Almeida
Tel. (11) 6846-6010

DirecTV Music Hall
Al. dos Jamaris, 213 — Moema
Tel. (11) 6846-6040

Espaço Unibanco de Cinema
Rua Augusta, 1475 (salas 1, 2 e 3) — Consolação
Tel. (11) 288-6780
Rua Augusta, 1470 (salas 4 e 5) — Consolação
Tel. (11) 287-5590

Fundação Bienal de São Paulo
Parque do Ibirapuera, Portão 3 — Av. Pedro Álvares Cabral — s/n
Tel. (11) 5574-5922, 5573-9974, 5573-5377

Fundação Maria Luisa e Oscar Americano
Avenida Morumbi, 4077 — Morumbi
Tel. (11) 3742-0077

Hangar 110
Rua Rodolfo Miranda, 110 — Bom Retiro
Tel. (11) 229-7442

Instituto Itaú Cultural
Av. Paulista, 149 — Paraíso
Tel. (11) 3268-1776

Instituto Tomie Ohtake
Rua Coropés, 88 — Pinheiros
Tel. (11) 6844-1900

Jardim Sul UCI
No Shopping Jardim Sul: Av. Giovanni Gronchi, 5819,
Piso 3 — Vila Andrade
Tel. (11) 3744-8422

Museu de Arte de São Paulo (Masp)
Av. Paulista, 1578 — Cerqueira César
Tel. (11) 251-5644, 3283-2585

Museu de Arte Moderna de São Paulo (MAM)
Parque do Ibirapuera, Portão 3 —
Av. Pedro Álvares Cabral — s/n
Tel. (11) 5549-9688

Museu do Ipiranga (Museu Paulista da USP)
Parque da Independência, s/n – Ipiranga
Tel. (011) 6165-8000

Museu Lasar Segall
Rua Berta, 111 – Vila Mariana
Tel. (11) 5574-7322

Oca
Parque do Ibirapuera – Av. Pedro Álvares Cabral, s/n – Portões 2 e 3
Tel. (11) 5549-0449

Olympia
Rua Clélia, 1517 – Lapa
Tel. (11) 3866-3000

Pinacoteca do Estado
Praça da Luz, 2 – Luz
Tel. (11) 229-9844

Sala São Paulo (Complexo Cultural Estação Júlio Prestes)
Praça Júlio Prestes, s/n – Luz
Entrada também pela Rua Mauá, 51 (estacionamento)
Tel. (11) 3337-5414

Sesc
Tel. 0800 11 8220
www.sescsp.org.br

Sesc Anchieta – Centro de Pesquisa Teatral (CPT)
Rua Doutor Vila Nova, 245 – Consolação
Tel. (11) 3234-3000
CPT – tel. (11) 3234-3077

Sesc Itaquera
Av. Fernando do Espírito Santo Alves de Mattos, 1000 – Itaquera
Tel. (11) 6523-9200

Sesc Pompéia
Rua Clélia, 93 – Lapa
Tel. (11) 3871-7700

Teatro Abril
Av. Brigadeiro Luís Antônio, 411 – Bela Vista
Tel. (11) 3105-2039
TicketMaster - tel. (11) 6846-6000

Teatro da Vertigem – Casa nº 1
Rua Roberto Simonsen, 136 – Centro
Tel. (11) 3241-3132

Teatro Faap
Rua Alagoas, 903 – Pacaembu
Tel. (11) 3662-7233, 3662-7234

Teatro Oficina
Rua Jaceguai, 520 – Bela Vista
Tel. (11) 3106-2818

Theatro Municipal
Praça Ramos de Azevedo, s/n – Centro
Tel. (11) 223-3022, 222-8698

Top Cine
No Shopping Top Center: Av. Paulista, 854 – Cerqueira César
Tel. (11) 287-3761

Unibanco Arteplex
No Shopping Frei Caneca: Rua Frei Caneca, 569, 3º piso – Bela Vista
Tel. (11) 3472-2365

Via Funchal
Rua Funchal, 65 – Vila Olímpia
Tel. (11) 3044-2727
Informações sobre shows: 0330 789 3350 – cobram-se por minuto R$ 0,29 (telefones fixos) ou R$ 0,63 (celulares), mais impostos

Villa-Lobos Cinemark
No Shopping Villa-Lobos: Av. das Nações Unidas, 4777, Piso 3 – Alto de Pinheiros
Tel. (11) 3024-3860

Esportes

Clube Atlético Juventus
Sede social: Rua Comendador Roberto Ugolin, 20 – Mooca
Tel. (11) 6165-6555

Estádio: Rua Javari, 117 – Mooca
Tel. (11) 6693-4688

Esporte Clube Pinheiros
Rua Angelina Maffei Vita, 493 – Jardim Europa
Tel. (11) 3817-9729, 3817-9728

Estádio do Morumbi (Estádio Cícero Pompeu de Toledo)
Praça Roberto Gomes Pedrosa, 1 – Morumbi
Tel. (11) 3749-8000

Estádio do Pacaembu (Estádio Municipal Paulo Machado de Carvalho)
Pça. Charles Miller, s/n – Pacaembu
Tel. (11) 3661-9111

Ginásio do Ibirapuera
Rua Manoel da Nóbrega, 1361 – Ibirapuera
Tel. (11) 3887-3500

Jockey Club
Av. Lineu de Paula Machado, 1263 – Cidade Jardim
Tel. (11) 3816-4011

Parque Antártica (Estádio Palestra Itália)
Rua Turiaçu, 1840 – Perdizes
Tel. (11) 3873-2111

Parque São Jorge (sede do Sport Club Corinthians)
Rua São Jorge, 777 – Tatuapé
Tel. (11) 6942-9633, 6195-3000

São Fernando Golf Club
Estrada Fernando Nobre, 4000 (entrada pela Rodovia Raposo Tavares, km 28,5) – Cotia
Tel. (11) 4612-2544

São Paulo Athletic Club (SPAC) ou Clube Atlético São Paulo
Sede Social : Rua Visconde de Ouro Preto, 119 – Consolação
Tel. (11) 3256-5944
Sede de Campo: Av. Robert Kennedy, 1448 – Socorro
Tel. (11) 5686-2220
São Paulo Golf Club
Pça. Dom Francisco de Souza, 540 – Santo Amaro
Tel. (11) 5521-9255

Parques

Bosque do Morumbi (Parque Alfredo Volpi ou Parque Circular do Bosque)
Rua Eng. Oscar Americano, 480 – Cidade Jardim
Tel. (11) 3031-7052

Fundação Parque Zoológico de São Paulo (Jardim Zoológico)
Av. Miguel Estéfano, 4241 – Água Funda
Tel. (11) 5073-0811

Horto Florestal (Parque Alberto Löefgren)
Rua do Horto, 931 – Horto Florestal
Tel. (11) 6231-8555

Instituto Butantan
Av. Dr. Vital Brasil, 1500 – Butantã
Tel. (11) 3726-7222

Jardim Botânico (Instituto de Botânica)
Av. Miguel Stéfano, 3031 – Água Funda
Tel. (11) 5073-6300

Parque Buenos Aires
Avenida Angélica, s/n – Higienópolis
Tel. (11) 3666-8032

Parque Burle Marx
Rua Dona Helena Pereira de Morais, 200 – Morumbi
Tel. (11) 3746-7631

Parque da Aclimação
Rua Muniz de Souza, 1119 – Aclimação
Tel. (11) 3208-4042

Parque da Água Branca (Parque Doutor Fernando Costa)
Av. Francisco Matarazzo, 455 – Água Branca
Tel. (11) 3865-4130

Parque da Cantareira
Rua do Horto, 1799 – Horto Florestal
Tel. (11) 6232-5049
Parque da Luz
Praça da Luz, s/n – Bom Retiro
Tel. (11) 227-3545

Parque do Ibirapuera
Av. Pedro Álvares Cabral, s/n – Ibirapuera
Tel. (11) 5574-5177, 5573-4180

Parque do Jaraguá (Pico do Jaraguá)
Rua Antônio Cardoso Nogueira, 539 (km 18 da Via Anhanguera, seguindo pela Estrada Turística do Jaraguá) – Jaraguá
Tel. (11) 3941-2162

Parque Luiz Carlos Prestes
Rua João Della Manna, 665 – Jardim Rolinópolis
Tel. (11) 3721-4965

Parque Municipal do Guarapiranga (Represa de Guarapiranga)
Estrada de Guarapiranga, 575 – Guarapiranga
Acesso à Represa de Guarapiranga também ao longo da Av. Robert Kennedy
Tel. (11) 5514-6332

Parque Tenente Siqueira Campos (Parque Trianon)
Rua Peixoto Gomide, 949 – Cerqueira César
Tel. (11) 289-2160

Parque Villa-Lobos
Av. Professor Fonseca Rodrigues, 1655 – Alto de Pinheiros
Tel. (11) 3023-0316

Diversos

Aeroporto de Congonhas
Av. Washington Luís, s/nº – Campo Belo
Tel. (11) 5090-9000
Aeroporto Internacional de Guarulhos
Rodovia Hélio Smidt, s/n – Guarulhos
Tel. (11) 6445-2945

Associação Comunitária Monte Azul
Av. Tomás de Souza, 552 – Jardim Monte Azul
Tel. (11) 5851-5370, 5851-6574

Cemitério da Consolação
Rua da Consolação, 1660 – Cerqueira César
Tel. (11) 3256-5919

Estação da Luz
Pça. da Luz, 01 - Luz
Tel. (11) 3226-4070

Estação Júlio Prestes
Praça Júlio Prestes, 148 – Bom Retiro
Tel. (11) 3361-7853

Estação Roosevelt
Praça Agente Cícero, s/n – Brás
Tel. (11) 6942-1112

Faculdade de Direito da Universidade de São Paulo
Largo de São Francisco, 95 – Centro
Tel. (11) 3111-4000

Hospital das Clínicas da Faculdade de Medicina da Universidade de São Paulo
Av. Dr. Enéas de Carvalho Aguiar, 255 – Cerqueira César
Tel. (11) 3069-6000

Universidade de São Paulo
Campus da Cidade Universitária Armando de Salles Oliveira
Av. Afrânio Peixoto, s/n – Cidade Universitária
Tel. (11) 3091-4313